L'admirateur

Rémy Lorblancher

L'admirateur

Roman

LE LYS BLEU
ÉDITIONS

Chapitre 1

Une nouvelle fois, il rêva d'un meurtre cette nuit-là. À force d'en écrire, cela devenait une obsession. Le ciel était gris et il pleuvait sur Paris. Comme tous les matins, Louis Armand quitta son lit peu après sept heures. Sophie était déjà sous la douche. C'était grâce à elle que leur modeste deux-pièces mal-chauffé gardait un semblant d'ordre. Sans elle, Louis aurait déjà accumulé bien trop de livres. En bruit de fond, le périphérique. Ils s'y étaient habitués, cela ne les dérangeait plus. Une cuisine minuscule donnait sur un salon qui faisait office de salle à manger. Au centre, une grande table et un canapé près de l'entrée. De l'autre côté, un bureau en désordre, un ordinateur en équilibre sur une pile de feuilles de brouillons. Quand Sophie sortit de la douche, Louis préparait deux cafés. Ils se parlaient peu le matin. Ils n'aimaient pas les matins. Sophie se préparait en vitesse, de peur d'être en retard. Les parents n'allaient pas attendre devant la crèche pour déposer leur progéniture. Louis l'observait dans sa gestuelle matinale. Il traînait devant son café qui refroidissait. Il ne voulait pas aller travailler. Il ne voulait plus travailler. Elle était belle avec sa longue chevelure châtain. Sophie l'embrassa et le laissa seul.

Après une douche rapide, mais toujours brûlante, il se rasa et finit de se préparer. Louis portait toujours des chemises bleues ou blanches. Il n'est pas très original. Il est temps d'aller au travail. C'est à ce moment qu'elle est là, toujours, qu'elle prend possession de son corps. L'angoisse. Il ne veut pas y aller. Louis quitte l'appartement en traînant des pieds. Leur voisin était un vieil homme aussi gentil qu'insistant. Il proposait souvent à Louis ou Sophie des timbres de sa collection :

— Non, merci monsieur Hénac, c'est très gentil, mais je n'en ferai rien, répondit Louis au vieil homme lui tendant un classeur rempli de timbres de toutes les couleurs.

— Prenez, prenez ! Je vous les laisse ! insista-t-il.

Louis s'excusa à nouveau et se jeta dans les rues froides de la capitale. Le métro a le mérite de brasser un air chaud et réconfortant en hiver. C'était le seul avantage que lui trouvait Louis. Il devait s'y soustraire chaque jour pendant de longues minutes qui lui semblaient interminables. Louis rejoignit le centre de Paris et un immeuble bourgeois, de style haussmannien, sur les quais de Seine. Il connaît le code de l'interphone. Un son mécanique retentit. Dans le grand hall, la femme de ménage passait le balai :

— Bonjour Monsieur, vous allez bien ? Je crois qu'il vous attend.

— Bien et vous ? Bonne journée Madame.

Louis n'avait aucune envie d'être ici. C'est même le dernier endroit sur Terre où il souhaitait être ce matin. Il ne prit pas l'ascenseur. Comme pour perdre du temps. Louis monta lentement l'imposant escalier, tout en pierre de taille, se tenant à la rampe en fer forgé. Il s'arrêta au quatrième étage. Un homme en costume noir fermait à clé son appartement. Il avait les cheveux poivre et sel, et de larges lunettes en écaille. Louis ne le connaissait pas. Il l'avait croisé à de nombreuses reprises ces dernières années, mais sans jamais lui parler. Ils se saluèrent d'un discret « bonjour » à peine murmuré. Louis toqua à la porte voisine.

— Ah ! Louis te voilà ! Comment vas-tu ? Fraîche journée n'est-ce pas ? Installe-toi, je t'en prie.

Louis ne prit pas la peine de répondre à Paul Beruer et entra dans un confortable et lumineux appartement, donnant sur la Seine. Sur la gauche, une grande cuisine s'ouvrait sur un salon aux proportions démesurées. Deux grands canapés se faisaient face, et derrière chacun d'eux, un bureau en bois recouvert de feuilles de brouillon griffonnées.

Tout l'appartement était parfaitement rangé et propre. Son propriétaire est de nature maniaque.

Avec sa barbe blanche, sa calvitie naissante et ses lunettes rondes, Paul Beruer avait de faux airs de Sigmund Freud. C'est l'image qui avait traversé l'esprit de Louis, le jour où il l'avait rencontré, il y a de cela plusieurs années déjà. Il était vêtu d'une veste verte, en tweed, parfaitement taillée, et d'une chemise blanche qui cachait son léger embonpoint. Les deux hommes s'assirent chacun à son bureau et commencèrent à travailler.

— Écoute, dit Paul Beruer, la première partie est bien, mais on doit davantage la « muscler » je trouve, on doit plus « marquer » notre personnage. On va reprendre cela ce matin.

Louis acquiesça d'un timide hochement de tête en sortant son ordinateur de son sac.

— Je peux retravailler la description de Lola si tu veux, pendant que tu regardes ce qu'on peut faire pour la fin du chapitre 6, proposa-t-il.

— Oui tu as raison, faisons cela, ajoute des détails à Lola, je la veux plus vivante, qu'on puisse facilement l'imaginer.

Paul Beruer est l'un des auteurs francophones les plus lus au monde. Spécialiste des romans policiers, il était surnommé le *Stephen King français* depuis que François Busnel avait tenté cette comparaison sur le plateau de la Grande Librairie. Cela faisait bientôt quinze ans que Paul Beruer sortait chaque année l'un des livres les plus vendus dans l'hexagone. Auteur populaire, il était aussi apprécié pour son style simple et ses intrigues surprenantes que pour sa discrétion médiatique. Rare en interviews, encore plus en dîners mondains, Paul Beruer appréciait le calme de son très chic appartement. Il n'en sortait que rarement, préférant vivre parmi ses brouillons et ses livres.

Dans ses romans, le lecteur sait tout. Qui meurt. Pourquoi. Et qui l'a tué. Alors, pourquoi le lire ? Parce que dans un Beruer, le méchant de l'histoire s'en sort toujours. Il parvient à s'en tirer même quand tout semble perdu. Il est pratiquement impossible de ne pas lire d'une traite les dernières pages d'un Beruer. Beaucoup trop de lecteurs et de lectrices étaient arrivés en retard à leurs rendez-vous, ou avaient raté leur arrêt de métro en lisant le dernier chapitre de ses romans. Il est très facile de s'identifier aux héros d'un Beruer et de les comprendre. Des gens au quotidien banal à qui il arrive des évènements hors du commun, les transformant à jamais. On avait déjà demandé à Paul Beruer d'où il tirait toutes ces idées de meurtres et d'enquêtes. À vrai dire, il n'en savait rien. Il avait toujours pensé qu'on ne choisissait pas ce qui sort de nous, en posant des mots sur une page blanche. Il n'avait pas toujours été écrivain. Issu d'une famille de la grande bourgeoisie parisienne, il était entré très tôt dans la carrière diplomatique. Une profession où il n'avait jamais vraiment brillé. Plusieurs opportunités s'étaient présentées à lui pour devenir consul ou même ambassadeur, mais Paul avait toujours refusé. Cela demandait de changer de poste et de pays régulièrement. Il n'aimait pas le changement. Au début de sa carrière, il enchaîna les postes subalternes, à Rome, Genève et Buenos Aires avant de revenir en France comme simple rédacteur au Quai d'Orsay. Dans l'ennui de cet emploi, il commença à écrire *Meurtres chez le Consul,* où un jeune attaché d'ambassade étrangle son supérieur avant de faire croire à une pendaison. La critique détesta son premier livre. Qui était cet inconnu qui se permettait de donner à voir, de manière aussi crue et vulgaire, une histoire de meurtre où le coupable n'était pas inquiété ? Le public français tomba immédiatement sous le charme de Beruer. Personne alors n'écrivait si simplement des histoires où le héros était moralement aussi mauvais. Il fut tout de suite numéro un des ventes. La première chose que fit Paul avec cet argent fut de s'acheter une bouteille de vin Château d'Yquem 1933. Puis il démissionna. Réglé comme un métronome, il sortait, depuis, un livre par an, pour la rentrée littéraire.

Chaque année, le nouveau Beruer était attendu par un public toujours plus nombreux. À chaque fois, le meurtrier s'en sortait. Mais de manière toujours inattendue. La presse écrivait en avance les critiques de ses livres, certains de leurs succès à venir. Les journalistes se demandaient qui il était. On le sollicita pour faire des interviews, écrire des chroniques et même faire de la publicité. Cela ne l'intéressait pas. Partout où il allait dans Paris, il était reconnu. Cela l'angoissait. Alors, il resta de plus en plus souvent chez lui. Et la routine s'installa ainsi. Un nouveau livre. Encore. Un nouveau succès. À nouveau. Beruer ne surprenait plus par sa réussite. Au fil des années, l'inspiration se fit mécanique et il se savait de plus en plus médiocre. Les ventes diminuaient, restant tout à fait acceptables, mais loin de ses premiers livres. La critique, quant à elle, assassinait cet auteur *qui se contentait de plagier ses romans précédents.* Paul n'arrivait pas à leur donner tort. Il pensait à Marlon Brando. En bon cinéphile, il le revoyait dire devant la caméra lors d'un interview : *Être un acteur est un métier vide et inutile.* Écrivain aussi, pensait-il. Paul avait adoré écrire, mais désormais cela le tuait doucement, mais sûrement. Il n'avait plus goût à rien. Il avait même arrêté sa collection de grands vins. Il ne lisait plus. Paul savait qu'il ne savait rien faire d'autre, il était donc contraint à devenir un écrivain sur le déclin, sombrait un peu plus à chaque page. Comment remédier à cela ? Il avait besoin de nouvelles idées. De casser cette routine mortifère et de vivre d'autres choses. Son éditeur, François Lecamp, lui proposa de partir quelque temps chercher l'inspiration dans un voyage, mais Paul ne se voyait pas quitter son grand appartement.

Un soir, il se mit à rêver. Il pensait à Roman Kacew. Plus connu sous le nom de Romain Gary. Entre 1974 et 1980, l'écrivain avait publié sept romans. Trois en tant que Romain Gary. Quatre sous le pseudonyme d'Émile Ajar. L'écrivain demanda à Paul Pavlowitch, fils de sa cousine germaine, de « jouer » Émile Ajar auprès des médias. C'est donc lui qui se présenta comme l'auteur de *La vie devant soi.*

Paul avait-il encore sa vie devant lui ? Pouvait-il se réinventer lui aussi ? Il l'espérait. Mais il savait aussi que Gary avait succombé à ce jeu de nom d'emprunt.

L'attention de toute la scène littéraire s'était portée, à l'été 1975, sur cet auteur inconnu, à la biographie fictive, construite par Gary. Pavlowitch prit alors quelques libertés et laissa échapper des indices sur sa véritable identité. Le lien familial avec Romain Gary fut rapidement établi et les soupçons sur la paternité de l'œuvre d'Ajar se faisaient de plus en plus pressants. Ce mystère fit le succès de *La vie devant soi* qui remporta, cette année-là, le prix Goncourt. Romain Gary obtient ainsi son deuxième Goncourt, après *Les Racines du ciel* en 1956. Un prix que l'on ne peut recevoir normalement qu'une seule et unique fois. Pavlowitch disparut, et Gary refusa le prix.

Le 2 décembre 1980, il a 66 ans et il est fatigué de cette vie aux multiples facettes. Il déjeune avec Claude Gallimard, son éditeur, puis il rentre chez lui, rue du Bac à Paris. Allongé sur son lit, il se tire une balle dans la bouche. Il laissa une lettre qui se termine par ces mots : « Je me suis enfin exprimé entièrement. »

Paul comprenait pourquoi Gary avait voulu se réinventer. Être écrivain c'est être seul. Se créer un double littéraire, c'est vaincre cette solitude de l'écriture. Au risque d'être dépassé et d'y succomber. Un soir, accablé par les doutes et la peur de voir tout se finir, il fit ce qu'il n'avait jamais pris la peine de faire. Paul commença à parcourir les premières pages des manuscrits que de jeunes auteurs lui envoyaient, cherchant conseils et affection d'un écrivain qu'ils admiraient. D'une nature peu sociable, Paul finissait le plus souvent par jeter ces écrits sans y porter un seul regard.

Mais ce soir-là, il pensa que lire le travail d'un autre pouvait l'aider à trouver l'inspiration. Le premier manuscrit était faible. Le style brillait par sa lourdeur. Le deuxième était incompréhensible, trop de personnages, de dialogues inutiles. Il faillit abandonner avant d'attaquer le troisième. Mais c'était tout aussi mauvais. Enfin non, il faut dire que Paul Beruer est exigeant. C'était une histoire d'amour assez plate, une relation passionnelle de deux amants en vacances, en Grèce. Pas très original.

Et si ce personnage masculin tuait sa bien-aimée ? Et si c'était involontaire ? que ferait-il du corps ? Il serait perdu entre sa peine et sa peur, sans doute. Voilà les idées qui fusaient dans la tête de Paul. Cette histoire était médiocre, mais réécrite dans un roman policier, dans son style à lui, cela pouvait devenir intéressant. Il revint à la page de garde, chercher le nom de l'auteur de ces pages. Bien entendu, c'était un parfait inconnu. Louis Armand.

Louis Armand n'a jamais eu le succès de Paul Beruer. Il avait bien essayé d'écrire plusieurs romans, mais aucun d'entre eux ne fut accepté par une maison d'édition. Pourtant, Louis savait qu'il avait du talent. Depuis tout petit, il écrivait. Des nouvelles, des pièces de théâtre puis des romans. Adolescent, il s'était refermé sur lui-même. Il ne plaisait pas vraiment aux filles. Alors il écrivait ses propres histoires d'amour. L'été, il aimait faire de l'escalade, il était loin d'être mauvais en équilibre sur une paroi rocheuse. Il était même parvenu à se qualifier pour les championnats de France. Mais cela n'impressionnait pas beaucoup les filles. Même dans la section littéraire au lycée, il n'avait pas les faveurs de ses camarades féminines. Alors il écrivait. Partout. Tout le temps. À s'en faire saigner les doigts parfois. Il entreprit des études de lettres malgré les réticences de ses parents. Louis s'enferma alors toujours plus dans la lecture. Il lisait tout ce qui lui tombait entre les mains. Les classiques, bien sûr, mais aussi les best-sellers du moment. Il décortiquait leurs styles d'écriture afin de comprendre leurs succès. Il attendait chaque année le nouveau roman de Beruer, auteur tout récent alors, un personnage mystérieux, peu médiatique, qui savait emporter son lecteur par son style aussi simple que ses intrigues complexes. Louis lisait souvent d'une traite ses romans policiers. Après cinq ans d'études, Louis se résolut à devenir professeur de français. Aucun de ses manuscrits n'avait séduit de maisons d'édition. Il continuait d'écrire sans tenir compte des lettres de refus, il savait qu'un jour cela payerait. Louis s'ennuya quelque temps dans un collège de banlieue. Le niveau était catastrophique. Il avait pensé un temps pouvoir se satisfaire de cet emploi par les bienfaits de la transmission du goût des livres à de jeunes esprits, mais il se retrouvait à reprendre des bases de grammaire et d'orthographe à des enfants aussi turbulents que peu intéressés. Après quelques années, Louis fut muté dans un lycée non loin de là. Un public autrement plus difficile. Parvenir à maintenir un semblant de calme relevait de l'exploit. Il rentrait souvent chez lui le soir complètement défait, ne sachant pas si le lendemain, il aurait la force d'y retourner. Il se souvint d'un cours particulièrement traumatisant. Après toutes ces années, Louis avait publié sur internet un de ces romans. Il avait de nombreux retours de lecteurs anonymes, lui trouvant du talent. Un de ses élèves était tombé dessus et avait partagé son travail avec ses camarades de classe. Arrivé dans la salle de cours, Louis se fit attaquer par des jets de boules de papier alors que l'un d'eux lisait son texte.

— Hé, le poète !

— Monsieur Armand, c'est chaud là !

Louis était humilié. Demain, il faudrait y retourner. Chaque jour un peu plus, il perdait goût à la vie. Il écrivait de moins en moins. Puis tout changea.

Au début, c'était juste un coup de téléphone.

— Oui allô ?

— Oui, monsieur… Louis Armand ? Paul Beruer à l'appareil.

Louis n'en revenait pas. Il pensait à une mauvaise blague. Il avait envoyé son manuscrit à l'auteur il y a de cela presque six mois et le silence du grand écrivain durant cette période marquait bien son total désintérêt quant à son travail. Il s'était plus ou moins résolu à devenir professeur, à force d'entendre les silences pesants des maisons d'édition.

— Paul Beruer ? Vous êtes Paul Beruer ? bredouilla sans conviction Louis.

— Oui oui, écoutez, hier soir j'ai lu votre manuscrit, je pense qu'on peut en faire une bonne histoire. Vous pouvez venir chez moi ce matin ?

C'est à ce moment que Louis aurait dû se demander ce que signifiait ce « on », mais c'est plus l'invitation de Paul qui le préoccupa.

— Mais je… je dois donner cours là je ne peux pas…

— Écoutez, laissez tomber votre cours ou ce que vous êtes en train de faire, peu importe, j'ai besoin de vous Louis.

Louis n'en revenait pas. Il allait rencontrer Paul Beruer.

14

Alors, pour la première fois de sa vie, Louis fit quelque chose qu'il n'avait jamais pensé faire : il fut déraisonnable. Il quitta sans réfléchir le lycée sans plus penser aux classes qui allaient l'attendre. Un taxi le conduit jusqu'au domicile de Paul Beruer.

Il emprunta le grand escalier jusqu'au quatrième étage. Bien sûr, il connaissait le visage de l'auteur, rare en interview, mais pas dans la presse littéraire.

La première fois que Louis vit son visage, il était souriant. Bien loin du mythe de l'écrivain froid et misanthrope.

— Bonjour Louis, vous voulez un café ?

— Euh oui avec plaisir monsieur Beruer.

— Paul, appelez-moi Paul, je vous en prie, le rassura Beruer d'un sourire entendu.

Il l'invita à s'asseoir en face de lui sur un canapé en cuir. Il s'installa en face, dans un canapé identique, très à l'aise, les jambes croisées.

L'appartement ressemblait bien à celui d'un homme cultivé vivant seul. Des piles de livres, de papiers et de journaux en tous genres décoraient le grand salon baigné de lumière.

— Écoutez Louis, j'ai lu avec attention votre histoire.

À ces mots, Louis sentit son ventre se serrer. Être lu par quelqu'un d'aussi important, il savait que c'était la chance de sa vie.

— C'est une belle histoire, cela manque un peu de fond, de consistance, certes, mais c'est normal après tout, vous êtes si jeune !

Louis ne comprit pas tout de suite cette remarque, il resta figé sur le « c'est une belle histoire ». C'est ce qu'il voulait ; écrire de belles histoires. Cette intrigue d'amour de vacances lui était venue lors d'un voyage en Grèce, où il n'avait pas eu le courage d'aborder sa magnifique voisine de chambre d'hôtel. À défaut de faire vivre cette histoire, il essaya de la raconter. Et Paul Beruer aimait cette belle histoire.

— Louis, j'aimerais vous proposer quelque chose. Avez-vous déjà écrit un roman policier ?

— À dire vrai, je n'ai écrit pour le moment que des histoires d'amour, avoua timidement Louis.

— L'amour est mort depuis longtemps mon cher.

La formule aussi brève que surprenante ne rassura pas Louis, qui découvrait ici tout le cynisme et la misanthropie de son hôte.

— Vous avez pensé à la faire mourir ?

— Pardon ?

— Votre personnage féminin. Si son amourette de vacances la tue, ça change toute l'intrigue, n'est-ce pas, on peut imaginer à partir de ce point de départ toute une nouvelle histoire !

Louis fut surpris par cette déclaration et le plaisir que semblait prendre Beruer à imaginer cette histoire parallèle. Cependant, il concevait désormais la platitude de son intrigue. Un crime ? Il n'y avait pas pensé, pourquoi tuer une belle histoire ?

— Louis, l'amour ennuie les gens, la mort les excite. Vous voulez bien écrire cette histoire avec moi ?

Louis n'aurait pas pu être plus surpris. Il s'attendait à des conseils d'un grand écrivain, pas à cette proposition. Son téléphone sonna. La principale de son lycée. Il ignora l'appel.

— Tenez, installez-vous là et reprenons au moment où la romance est née entre les deux personnages.

Comment refuser ? Il s'assit sur le canapé à côté de Paul. Ils tenaient ensemble le manuscrit et Paul commença :

— Vous voyez ici, c'est trop long, on se perd dans la description de ses sentiments, on se fiche de cette introspection à l'eau de rose.

Décidément, ce Paul Beruer était surprenant. Loin du timide maladif décrit dans de nombreux articles de presse, Louis découvrait un homme jovial, franc et charismatique. On sentait que les idées fusaient dans sa tête.

— Oui, mais je voulais que ce soit un moment de réflexion sur ce qu'était l'amour pour lui et…

— L'amour c'est l'amour, rien de plus, mais il faut introduire à ce moment une tension, voyez-vous. Un élément qui fera dire au lecteur « oh, cette histoire d'amour cache quelque chose ».

— Un indice sur… sa mort prochaine ?

— Oui exactement ! Louis commençait à concevoir l'originalité d'une telle histoire et se prit au jeu :

— Il pourrait lui dire qu'il serait prêt à mourir d'amour pour elle ? essaya-t-il.

Paul marque un temps d'arrêt qui sembla une éternité dans le silence de ce grand appartement. Il regarde Louis avec un léger sourire :

— C'est excellent ça, Louis.

Il y a des moments où le temps n'a plus de prise et où les heures défilent comme des secondes. La journée passa et les deux hommes restèrent sur ce canapé, à réécrire, raturer et imaginer cette nouvelle intrigue. Ni la faim ni la fatigue ne les dérangea dans leur besogne. Malgré leurs deux décennies d'écart, ils semblaient deux camarades de classe préparant une nouvelle bêtise passionnante. La Grèce et son soleil devenaient leur univers, et cet hôtel, le lieu de leur crime. La jeune femme succomba sous les coups de son amour de vacances. Et Louis et Paul ne faisaient plus qu'un.

— Il est tard, regarde, lança Paul en observant la lune déjà haute dans le ciel parisien.

Puis un silence :

— Que fais-tu demain ?

Louis pensa à ses copies à corriger et à ses élèves. Mais quel ennui de revenir à cette réalité si décevante et de repenser à cette vie de professeur qu'il n'avait jamais voulue !

— Je peux revenir demain si vous voulez.

— On va se tutoyer, ce sera plus simple, sourit Paul.

Chapitre 2

Louis était bien revenu le lendemain. Et le jour d'après. Et le reste de la semaine aussi. Après plusieurs séances de travail, ils avaient tous deux décidé de repartir sur une idée neuve. Un nouveau roman. Ils souhaitaient imaginer ensemble l'intrigue depuis son commencement et non plus retravailler un roman. Louis avait complètement oublié ses élèves. Ils avançaient bien ensemble, les personnages prenaient forme, l'intrigue aussi. Louis apportait son originalité, sa nouveauté, sa créativité quand Paul y mettait son expérience, sa construction minutieuse d'un roman policier. Louis se voyait chanceux de côtoyer un tel écrivain. Paul adorait la finesse d'esprit du jeune Louis.

La journée, ils pensaient, écrivaient et réécrivaient ensemble. Le soir, chacun chez soi, ils repensaient à leur journée, et à celles à venir. Une forme d'addiction créative s'était nouée entre eux. Ils n'étaient perturbés qu'à de rares moments par le passage de la femme de ménage. Elle ne pouvait constater que ces deux-là s'étaient bien trouvés. Ils étaient devenus en peu de temps les deux faces d'une même pièce. Le voisin de palier de Paul, un homme d'une quarantaine d'années, toujours engoncé dans le même costume noir, voyait ce jeune homme impatient dès le matin d'enjamber quatre à quatre les escaliers. Louis n'avait jamais pris le temps de lui parler, mais les deux se saluaient poliment d'un geste de tête convenu, comme un rituel de leurs matinées.

Paul commençait une phrase, Louis la finissait. Ils leur arrivaient même de relire un passage sans plus savoir qui avait écrit quoi. Après quelques semaines, le tout premier jet de leur premier roman était né. Leurs journées de travail commençaient tôt le matin pour se finir tard dans la nuit. Les après-midis étaient longues et souvent propices aux grands débats :

— Elle ne peut pas le tuer de cette manière ! Allons Louis, ce n'est pas sérieux !

— Mais si ! c'est son unique moyen d'y parvenir dans la bibliothèque !

— Un coupe-papier n'est pas une véritable arme ! Ce n'est pas crédible !

Louis trouvait l'image symbolique forte, Paul la voyait terriblement prévisible. Cette fois-ci, le coupe-papier resta l'arme du crime. Le plus souvent, c'était Louis qui donnait généreusement ses idées, et Paul qui choisissait ce qui collait le plus à son style et à l'intrigue qu'il voulait. Leur duo fonctionnait bien et ils en étaient conscients. Ils avaient appris à se faire confiance. Les deux hommes s'appréciaient et s'estimaient. Paul voyait Louis comme l'étincelle créative qui lui permettait de construire son récit. Louis admirait le génie de Paul, sa façon de penser l'intrigue, de nouer les relations des personnages et de créer des rebondissements inattendus. Il aimait lui donner des idées, et structurer son style qui était devenu le leur. Ce premier roman Beruer/Armand suivait Sophie de Montherlant, aristocrate française, descendante de l'écrivain du même nom. Sophie était une très belle jeune femme qui partageait sa vie entre le mannequinat et la gestion du patrimoine littéraire de son célèbre ancêtre, Henri de Montherlant. Un soir, un jeune admirateur de l'écrivain, Antoine Plenel, pénètre par effraction dans le domaine familial, et à sa grande surprise, Sophie en tombe amoureuse. Mais l'exaltation du jeune homme vire peu à peu à la folie, à mesure qu'il découvre avec toujours plus d'excitation l'intimité de l'écrivain et de sa descendante. Au cours d'une scène de ménage, Sophie le poignarde en plein cœur à l'aide du coupe-papier d'Henri de Montherlant. Elle mettra alors tout en œuvre pour cacher le corps et faire croire à la disparition de son amant exalté.

Paul et Louis n'étaient toujours pas d'accord sur le nom de leurs protagonistes.

— On part vraiment sur « Montherlant », Paul ? C'est poussiéreux, on peut prendre un autre auteur non ?

— C'est plus « Antoine Plenel » qui me gêne vois-tu. On dirait un nom d'emprunt.

— Tu penses à un autre nom, pour remplacer notre mort ?

— Jérôme Herbert, par exemple.

— Cela fait tout aussi nom d'emprunt comme tu dis !

— Restons sur Plenel alors, mais hors de question de changer Montherlant dans ce cas.

— Bon, bon comme tu veux. C'est nul, mais va pour Montherlant, se résigna Louis.

Le travail d'écriture était alors achevé. Mais il manquait quelque chose.

— Tu as une idée de titre ? demanda Paul en réfléchissant.

— Non, pas vraiment, et toi ?

— Peut être quelque chose qui vient traduire leur relation, Sophie et Antoine forment un couple particulier, il faudrait retranscrire cela, ils ne sont pas d'égal à égal dans cette relation, Sophie est presque son égérie, c'est comme si Antoine était son…

— Admirateur.

Ils avaient un roman, et ils avaient un titre. Mais une grande question se posait à eux désormais. Qu'allaient-ils faire de cette histoire ? La garder pour eux ? La publier ? Sous quel nom ?

— J'ai pensé qu'on pouvait présenter ce premier jet à mon éditeur sous nos deux noms, dit Paul.

— Cela ne lui semblerait pas bizarre ? Tu n'es pas censé être du genre solitaire ? répondit Louis, en souriant.

— Si en effet, tu as raison.

— Présente-lui ce manuscrit, sans rien lui dire et voyons ce qu'il en pense, proposa Louis.

C'était décidé. Le lendemain, Paul irait chez son éditeur, présenter leur « nouveau-né » comme ils aimaient l'appeler. Cette nuit-là, Louis s'endormit sur le canapé, dans le salon de Paul. Il se réveilla en sursaut quelques heures après, Paul n'était plus là. Sur la table basse, jonchait de feuilles de brouillons, un mot : *Je suis parti chez l'éditeur, je reviens vite. Fais comme chez toi, Paul.*

***

Le bureau de François Lecamp était baigné de lumière avec sa cloison de verre. Un grand siège de cuir trônait devant un large bureau couvert de manuscrits. Au mur, une bibliothèque ornée de livres en tous genres et de cadres photo, comme autant de souvenirs d'une vie d'éditeur. En rentrant, le regard de Paul Beruer s'arrêta sur une photo de François aux côtés de Jean-Louis Serygnet, le célèbre critique littéraire. François accueillit son client préféré d'un grand sourire, mais d'un regard froid.

Nathalie, sa secrétaire de toujours, se moquait gentiment de son patron, de sa calvitie naissante et de son visage qu'elle jugeait trop expressif, mais elle n'avait en réalité que de l'admiration pour son patron. Il était l'un des éditeurs les plus réputés de Paris. Et ce pour une bonne raison, qui se nomme Paul Beruer. Il se souvenait encore de ce diplomate venu lui apporter son manuscrit alors qu'il n'était qu'un éditeur à la peine. François était tout de suite tombé sous le charme de Beruer et de sa maladresse. Son premier roman était bon. Très bon. Il avait la fougue d'un premier roman et le caractère de l'expérience. François se souvint de sa dernière page. Comme dernier mot, le mot fin, barré : ~~FIN~~.

Il lui avait alors demandé pourquoi cela, et la réponse de Paul avait suffi à le décider à le publier :

— Parce que je ne crois pas que l'on finit un jour d'écrire.

Les deux hommes avaient construit la *marque Beruer*, ces *bestsellers* annuels, François s'accommodait de la discrétion de son auteur, gérant pour lui les nombreuses sollicitations médiatiques et mondaines. Mais depuis quelque temps, François voyait bien que le souffle se faisait court. Beruer avait perdu de sa superbe. Il était attendu, trop attendu. Son public commençait à s'ennuyer. Et lui aussi.

Les livres de Paul se ressemblaient tous. Oui, son style était très personnel et unique dans le milieu littéraire, mais la recette était connue de tous. Un personnage principal, qui tue, plus ou moins de manière préméditée, un autre personnage. Alors il essaye de cacher le corps et d'échapper à la police. Oui, cela fait de bons romans de gare, mais le public se lasse et les ventes baissent. Paul Beruer pouvait encore jouer de sa stature d'écrivain reconnu et populaire, mais il était loin de ses débuts, où il était décrit comme un *vent de fraîcheur sur la scène littéraire française* (Le Figaro Magazine), il était désormais un produit courant, *Un (pas si) nouveau Beruer sortira cet automne (encore)* (GQ Magazine).

— Bonjour, mon bon ami, sourit Paul.

Il avait pris l'habitude de l'appeler *mon bon ami*. François était son seul ami d'ailleurs.

L'éditeur ne pouvait que constater les cernes et l'état de fatigue de Beruer. Il pensait déjà savoir pourquoi il était venu de si bon matin :

— Ne me dis rien, j'ai compris.

— Compris quoi ? Allons bon, tu es voyant en plus d'être éditeur ?

— Quand un auteur se déplace chez son éditeur alors que l'aube pointe à peine le bout de son nez ce n'est jamais bon signe.

— J'ai quelque chose à te faire lire.

— Ah bon ?

— Tu ne t'attendais pas à cela ?

— Pour tout te dire, je pensais que tu allais m'annoncer ta retraite.

— Ma retraite ? Quelle idée !

— Je ne te sens plus autant impliqué dans ton écriture ces derniers temps. Tu continues de manière mécanique, parce qu'il le faut. À la manière d'un Marlon Brando.

— Je n'ai pourtant pas le même physique, mon bon ami. Laisse-moi me raser le crâne et partir dans la jungle vietnamienne avant de me comparer au Colonel Kurtz.

— Je pensais plus dans la conception qu'il avait de son métier. Il détestait être acteur. Mais il avait continué pour l'argent et parce qu'il ne savait rien faire d'autre, alors qu'il n'avait jamais vraiment voulu toute cette gloire. Depuis quelque temps, je ne ressentais plus l'envie d'écrire chez toi, tu n'étais plus comme à tes débuts.

Paul était heureux de voir son éditeur capable d'une telle franchise avec lui. Et il était ravi d'être capable de lui prouver le contraire ce matin. Il déposa le manuscrit de *L'admirateur* sur le bureau avec délicatesse, comme s'il s'agissait d'un objet aussi fragile que précieux. François commença à lire en silence. Pendant près d'une heure, il ne dit pas un mot. Paul feuilleta quelques manuscrits posés en vrac et fit plusieurs tours dans le bureau, mais François ne bougeait pas. Il avait les yeux rivés sur ce texte. Son visage était fermé. Parfois, il faisait la moue. Il tournait certaines pages de manière hâtive, Paul voyait bien qu'il ne faisait que survoler certains passages. Il savait que son éditeur était exigeant. François finit par refermer le manuscrit :

— Alors ? essaya Paul.

— C'est une première lecture, j'ai besoin de plus de temps, vois-tu.

— Mais tes premières impressions ? Tu en penses quoi ? Paul était frustré de cette réponse.

— En toute honnêteté ?

— Évidemment, mon bon ami. Dis-moi, si ça ne vaut rien selon toi, je peux l'entendre, tu sais.

— C'est brillant.

— Brillant ?

— Oui. L'histoire est bien construite. Il faudra raccourcir le deuxième tiers, mais les personnages sont bien amenés, on s'y attache. Je pense que cela a du potentiel, cela peut-être un grand Beruer.

Paul était soulagé. Cela faisait longtemps qu'il n'avait pas vu son éditeur aussi enthousiasmé. Ils discutèrent encore de longues minutes sur l'analyse de ce premier jet, et François n'était pas avare de compliments en tous genres. Il était ravi de retrouver son Beruer à son meilleur niveau. Quant à Paul, il sentait revivre en lui cette petite flamme qui brûle lorsque l'on prend du plaisir à écrire.

***

Louis passa quatre bonnes heures à errer sans but dans l'appartement, enchaînant les cafés et les doutes. C'était la première fois que leur travail sortait de cet appartement. Un autre allait le lire. Un éditeur. Louis n'avait alors que de mauvais souvenirs auprès de cette profession. Des longues heures éprouvantes jugées en quelques instants par un inconnu. Un inconnu qui avait droit de vie ou de mort sur leur nouveau-né.

Le téléphone fixe sonna.

La sonnerie stridente angoissa davantage Louis. Que faire ? Répondre ? Laisser sonner ? Tant pis, le bruit était insupportable :

— … Domicile de Paul Beruer ?

— Louis, c'est moi ! La voix grave de Paul rassura Louis.

— Je sors du bureau de mon éditeur.

— Alors ? s'empressa Louis, entre peur et excitation.

— Il a adoré !

Louis se sentit plus léger. Il raccrocha, et esquissa quelques mouvements aussi ridicules que maladroits, traduisant sa joie du moment. Il prit ses affaires et se dirigea vers le café le plus proche, comme convenu au téléphone avec Paul.

Devant deux cafés crème, le duo se retrouva :

— Dis-moi tout ! Il a aimé l'intrigue ? Les personnages ? pas trop caricaturaux ? Le style ? pas trop pompeux ? Et le coupe-papier ?

— Du calme, du calme ! Oui il a bien aimé, il trouve que ça a du potentiel.

— Du potentiel ? répondit Louis dubitatif.

— Oui du potentiel, dans la bouche d'un éditeur ça veut dire que ça peut bien se vendre. Il trouve que c'est une histoire originale, un de mes meilleurs textes.

— Tu lui as dit qu'on a écrit à quatre mains ?

— Je n'ai pas eu le temps d'en placer une ! C'était un concert de louanges ! Et puis on était d'accord ; pour le bien de notre histoire, mettre mon nom seul sur la couverture permettra de le publier plus facilement.

Louis ne pouvait qu'approuver ce raisonnement. Combien d'éditeurs ne lui avaient jamais répondu ? Il avait arrêté de compter. Travailler avec Paul c'était l'assurance que son travail serait publié. Louis en était fou de joie.

— On a quelques jours pour les corrections, annonça Paul, l'idée serait de le sortir pour la rentrée littéraire. Il faudra faire vite.

Louis n'en revenait pas. Cela devenait très concret. Lui, l'écrivain raté, le prof de français malheureux, on lui parlait désormais de rentrée littéraire. Il avait l'impression de changer de monde.

Les corrections sont toujours des moments compliqués pour un auteur. Alors pour deux, c'est un calvaire. Il faut revoir son texte, l'affiner, couper, rayer, annoter, réécrire, changer, ajouter, autant de sévices infligés à un premier jet qui semblait pourtant si naturel. Des jours de travail n'étaient pas de trop. Le soleil de juillet tapait sur les grandes fenêtres de l'appartement de Paul quand ils pensaient enfin avoir un texte présentable.

— C'est quoi l'étape d'après ? demanda Louis.

— Le jugement dernier ! Mon éditeur assure une ultime relecture et ensuite cela part en impression pour septembre.

Les deux hommes avaient passé les dernières semaines ensemble. Louis avait oublié durant tout ce temps son travail malgré les appels de la principale de son lycée. Paul lui proposa un salaire. Ils se partageraient pour moitié les ventes de leur livre.

Le mois d'août fut un mois de repos mérité. Comme à son habitude, Paul resta chez lui à lire et à voir le moins de monde possible. Louis partit en Grèce pour essayer de ne pas penser à la sortie de *L'admirateur* en septembre. L'éditeur prévoyait un gros tirage et une promotion conséquente du livre. Il avait envoyé le manuscrit à toute la profession. Ce qui nourrissait davantage les angoisses de Louis. En Grèce, il séjourna dans le même hôtel que l'an dernier. Par un heureux hasard, sa voisine de chambre était la même, celle qui lui avait tant plu, mais qu'il n'avait pas osé aborder. Cette fois-ci, elle était accompagnée d'un autre homme et d'une bague à sa main. Un voyage de noces. Il se consola par de longues baignades au soleil et de trop grands verres d'ouzo.

Septembre enfin. Paul acheta l'ensemble des journaux le jour de la sortie de *L'admirateur*. Il retrouva au café un Louis bronzé et étonné de toutes ses coupures de presse.

— Je cherche un papier qui parle de notre livre.

— Et tu trouves ?

— Aide-moi à chercher plutôt, dit-il en lui tendant l'Obs.

Plusieurs minutes de silence seulement peuplées de bruits de journaux froissés et de pages tournées s'écoulèrent.

— Ici ! s'exclama Louis.

— Fais voir ! répondit Paul tentant de lui arracher des mains le fameux article. Louis s'éclaircit la gorge et commença :

Notre admiration pour l'admirateur

Par Jean-Louis Serygnet

— Oh non pas celui-ci, souffla Paul.

— Tu ne l'aimes pas ?

— C'est plutôt lui qui ne m'aime pas !

Comme chaque rentrée, l'annonce d'un nouveau Beruer n'est pas une surprise. On s'y attend, mais on sait déjà ce qu'on va y trouver. Pour tout vous dire, j'ai un stagiaire de 3ᵉ qui s'ennuie, je lui ai donné à en faire la critique. Je me disais que je devrais sûrement compléter son travail avec ma critique de celui de l'an dernier (déjà oublié). Après tout, rien ne ressemble plus à un Beruer, qu'un autre Beruer.

— Tu as couché avec sa femme pour qu'il te descende autant en quelques lignes ? demanda Louis avec un air malicieux.

— C'est un snob, un dandy parisien, il n'aime pas ce qui est populaire, coupa sèchement Paul.

Louis reprit :

Au bout de deux heures, le jeune garnement hyperactif n'avait toujours pas lâché ce bouquin. Apparemment, il le trouvait « super cool ». Allons bon. En bon maître de stage, je lui vole son jouet pour comprendre ce qu'il y a de « cool » dans un Beruer. Le début est poussif. À vrai dire, il sonne faux dès le début, on suit une bourgeoise qui s'ennuie, Sophie de Montherlant. Madame Bovary aux petits pieds. Heureusement, arrive assez vite « l'admirateur », qui apporte tout son intérêt à ce livre mal entamé. Un fan, ou plutôt un fanatique, séduit donc notre Emma Bovary contemporaine, tout en se passionnant plus que de raison pour l'œuvre de son lointain ancêtre, Henri de Montherlant. Une belle passion née entre les deux que rien à première vue ne rapproche. Et là, c'est le drame. Je ne veux rien trop vous dévoiler chers lecteurs, mais vous savez ce qu'est un Beruer. Il y aura un mort. Et un meurtrier. Ou une meurtrière. Le reste du roman est une suite travaillée de rebondissements bien sentis, dont on ne peut se défaire. Comme mon stagiaire, je ne pouvais plus lâcher ce livre, que j'admire déjà. Bref, un Beruer qui ressemble à un Beruer, mais un grand Beruer, digne des premiers ! C'était « cool ».

— Un grand Beruer ! cria Paul en pointant la formule dans la critique de Serygnet.

— Et c'est même « cool », souligna Louis fièrement.

— On boit pour fêter ça ! Tu veux quoi ?

— Un Ouzo.

— Serveur ! Deux ouzos !

En rentrant chez Paul, les deux compères trouvèrent la vingtaine d'appels en absence de François Lecamp. *L'admirateur* était admiré par d'autres, pas seulement par Serygnet et son stagiaire. Les ventes étaient bonnes, voire excellentes en ce premier jour. À la fin de la première semaine, *L'admirateur* était numéro un. Les ouzos ne suffisaient plus pour fêter cela. Paul se refusait à en faire toute promotion malgré les sollicitations de son éditeur. Cette discrétion enveloppa le livre de mystères et les ventes continuèrent de s'envoler. François lui demanda alors de ne plus jamais se montrer. Il faut dire que cela arrangeait tout le monde. Paul était plus que médiocre pour assurer la promotion de ses livres. Hésitant, stressé, brouillon, c'était un calvaire de l'écouter. À l'automne, la surprise fut totale lorsque *L'admirateur* atterrit dans la liste finale du très prestigieux Prix Renaudot.

Les romans policiers sont rares dans les prix, lorsqu'ils sont populaires. Tout le monde ne parlait plus dans le Paris littéraire que de ce Beruer, un temps nouveauté du roman policier devenu au fil du temps médiocre, et désormais consacré à nouveau par son public et la critique. François commença à croire à la possibilité de gagner ce prix. Paul n'y pensait même pas. Il avait été trop longtemps snobé par ce milieu littéraire pour en attendre quoi que ce soit. Les nombreux appels de son éditeur le poussèrent tout de même à se rendre à la remise du prix. Le Renaudot est dévoilé chaque année dans un restaurant du deuxième arrondissement de Paris, le Drouant. Les hôtes de cette soirée furent tous étonnés de l'y voir. Certains pensèrent que ce n'était pas lui, Beruer était si discret, il n'oserait pas se montrer alors que toutes les grandes chaînes de télévision étaient là avec leurs caméras, leurs micros, et leurs journalistes insistants. C'était François qui était avec eux, pour assurer la promotion de *L'admirateur*. Paul resta seul au fond de la salle, essayant de se faire oublier. Peu avant le coucher du soleil, le président du jury s'avança dans la salle et lut à haute voix :

— Cette année, le prix Renaudot a été décerné au premier tour de scrutin et à l'unanimité…

Des murmures rapides se propagèrent parmi la foule excitée. Rarement, un tel prix était décerné au premier tour. Encore plus rare que l'ensemble du jury soit d'accord sur un même nom :

— Au roman, *L'admirateur*, de Paul Beruer.

Plusieurs dizaines de paires d'yeux glissèrent vers Paul et sa mine déconfite. François exulta en le prenant dans ses bras alors que les caméras se ruaient sur eux. Paul n'en revenait pas, il lui était impossible de sortir le moindre son face aux applaudissements. Sa tête hébétée se dessinait déjà sur les directs des chaînes d'information en continu. Louis était devant son écran de télévision, entre rires et pleurs. C'était incroyable. Tout cela était parti d'un rien du tout, un coup de téléphone, et voilà qu'ils avaient désormais le Renaudot. Ils l'avaient fait.

Dès le lendemain, les ventes explosèrent. Tout le monde ne parlait plus que de ce succès inattendu, et de ce polar qu'il fallait avoir lu. Sur les terrasses de café, la question n'était plus « tu as lu le dernier Beruer ? », mais bien « Tu n'as pas encore lu *L'admirateur* ? ». Montherlant, qui servait de décor par son nom et son château au roman, était à nouveau à la mode, ses *Jeunes filles*, étaient de retour dans les vitrines des librairies. On en oubliait même son côté sulfureux et ses accointances germaniques durant la Seconde Guerre mondiale. Son nom était dans *L'admirateur*, voilà tout ce qui comptait. *Beruer, un succès français,* titra le journal Le Monde, *L'admiration de tous pour L'admirateur,* souligna Libération, quand le magazine *Elle*, avoua être tombé sous le charme : *Un mystérieux Beruer provoque notre admiration.*

Au début, Louis et Paul s'en amusaient beaucoup, et collectionnaient ces articles élogieux précieusement, mais rapidement ils n'arrivaient plus à suivre. Le téléphone fixe de Paul était en surchauffe. Paul le débrancha lors d'une migraine. Quand il voulut le rebrancher, il tomba sur une personne se présentant comme Jean-Jacques Annaud, voulant adapter son roman au cinéma. Paul crut à un canular et raccrocha. La semaine suivante, un article de Télérama donna la parole au réalisateur : *J'aurais aimé adapter L'admirateur, mais Paul Beruer m'a raccroché au nez !*

Au cours de l'automne, Paul reçut des droits d'auteurs conséquents qu'il partagea avec Louis. Les deux hommes n'auraient jamais pensé gagner autant d'argent de toute leur vie. Néanmoins, ils ne changèrent pas de style de vie. Durant l'hiver, les deux hommes avaient continué de se voir plusieurs fois par semaine, pour parler de leur livre, de leurs lectures respectives et de la diffusion désormais internationale de leur succès littéraire. Paul était aux anges. Il était redevenu l'auteur à succès, il était même plus populaire qu'à ses débuts. Il avait en plus de cela trouvé un ami. Louis était aussi perdu qu'enivré par cette nouvelle situation. En vérité, il s'accommodait très bien de cette place de co-auteur de l'ombre. Quand il voyait le harcèlement téléphonique dont Paul était victime chaque jour, il ne l'enviait pas.

C'est assez naturellement qu'ils débutèrent un deuxième roman. Selon la même technique que l'an dernier, ils débutèrent une nouvelle histoire, un nouveau Beruer. Après des débats sans fin sur le caractère d'un personnage et le lieu du meurtre, leur deuxième bébé était en bonne voie. Une nouvelle histoire de meurtre, naturellement. Ils étaient plutôt fiers de ce nouveau récit qui occupa leur hiver et le printemps suivant. François était plus exigeant encore, cherchant à nouveau un succès au niveau de celui de *L'admirateur*. Après des semaines estivales laborieuses de corrections, leur deuxième livre sorti à la rentrée littéraire de septembre. Un an presque jour pour jour après *L'admirateur*. La presse ne parlait que de ça. *Le nouveau Beruer vient de sortir !* titra *Le Parisien*. Les ventes étaient plus qu'honorables et la critique en appréciait l'originalité. Beruer était confirmé à nouveau comme un indémodable, une valeur sûre de la scène littéraire française.

Paul prenait désormais un plaisir presque narcissique à voir son nom partout. Il s'était habitué à tout ce tapage autour de lui et de son nom. Cela ne l'empêchait pas de rester aussi discret. Ses apparitions publiques étaient si rares que la presse publiait des photos de lui vieilles de dix ans. Des rumeurs de la presse à scandale virent le jour, le présentant comme mort, et qu'un autre écrivait à sa place. Cela faisait beaucoup rire le duo.

Louis souriait malicieusement devant les unes et les reportages consacrés à Paul. Il avait le sourire de celui qui sait et s'appropriait inconsciemment les compliments et louanges accordés à Beruer. Leur duo fonctionnait toujours, alors pourquoi s'arrêter là ? Durant cinq années, leur stratagème fonctionna, bernant aussi bien le public que les critiques. Jamais ils ne firent mieux que *L'admirateur* mais qu'importe ? Les ventes étaient excellentes et ils s'amusaient beaucoup à écrire ensemble.

Mais comme toute passion, elle s'essouffla. Enfin, Paul y prenait toujours beaucoup de plaisir. Certes, il y avait parfois des tensions avec Louis, mais c'était toujours dans l'intérêt de leur récit. C'est Louis, finalement, qui souffrait le plus de cette écriture à quatre mains.

Chaque nouveau livre sonnait comme un rappel que son nom n'était pas sur la couverture. L'aisance de Paul à s'accommoder à sa célébrité le gênait de plus en plus. Il le trouvait plus dilettante que jamais, et moins investi dans le travail d'écriture. Louis passait toujours plus de temps à combler les failles de Paul et à corriger ses brouillons, qu'il ne prenait même plus la peine de reprendre lui-même. L'écriture manuscrite de Louis se modifia peu à peu, à force de voir et de reprendre le travail de Paul. Ils se mirent à écrire avec le même tracé caractéristique que Beruer, cette écriture tassée, étroite, ou chaque lettre avait la même taille. Le dilettantisme de Paul devint toujours plus pesant alors que Louis s'enfermait dans le mutisme du travailleur acharné. Paul parlait de plus en plus de loisirs et de voyages, se plaignant sans cesse de sa notoriété. Louis souffrait autant du comportement de Paul que de penser que ce dernier ne méritait pas d'être le seul à être célèbre. Il en faisait plus que lui, mais personne ne le savait.

Car si l'écriture était commune, la gloire était personnelle. Elle portait le nom de Beruer. Personne ne connaissait Louis Armand. Bien sûr, au début cela ne le dérangeait pas, bien au contraire. Il pouvait continuer à vivre sans être harcelé par des fans, ou des journalistes. Mais la marque « Beruer » était devenue trop puissante, trop pressante, trop oppressante. Beruer était partout et lui nulle part. Pourtant, il était la moitié de Beruer ; ces derniers temps, il trouvait Paul fainéant et peu créatif. Il ne voulait pas changer la recette de leur succès. Lui voulait renouveler leur style, surprendre leur public. Écrire autre chose peut-être ? Une histoire d'amour ? Il faut dire qu'il venait alors de rencontrer Sophie.

Sophie. Comment avait-il pu être heureux sans elle ? Sans prévenir, elle était entrée dans sa vie un mardi, ou plutôt c'était lui qui était venu déranger la sienne. La pluie parisienne l'avait surpris et il s'était réfugié dans une librairie vers Saint-Germain. Par réflexe, il allait voir les romans policiers. Et elle était là. Il ne vit que ces longs cheveux bruns et lisses. Elle était grande, avec une bouche joliment dessinée. Parfois, la vie faisait bien les choses. Elle attrapa avec un sourire un livre, un roman, avec ce bandeau rouge que les éditeurs imaginent pour attirer le lecteur. *L'admirateur*. *Le livre de l'année* était annoncé sur ce fameux bandeau. Elle examina la quatrième de couverture, et le reposa. Sans plus réfléchir, Louis l'aborda. Il ne sait toujours pas aujourd'hui comment il avait pu aborder une inconnue qui venait de reposer son livre :

— Vous n'aimez pas Beruer ?

— Oh si, mais je l'ai déjà lu celui-là. Je l'ai adoré.

— Prenez-en un autre alors.

— Ils se ressemblent tous, dit-elle avec une moue.

Cette pique, loin de le déstabiliser, ne l'attira que davantage.

— Il a son style, voilà tout.

— Je me lasse vite.

— Et si je vous dis que je connais Paul Beruer ?

— Vraiment ?

— Vraiment.

— J'espère juste que vous êtes plus charmant que lui, il a l'air d'un auteur torturé et pas du tout facile à vivre.

Il rit. Elle rougit. Il lui demanda comment elle s'appelle.

« Sophie. Comme Sophie de Montherlant », lui dit-il.

La pluie cessa. Ils prirent un café. Puis le lendemain, un dîner. Elle lui parla de Léa sa meilleure amie, qui venait de se marier à Marc, de son nouvel emploi comme assistante maternelle dans une crèche, il écoutait sagement, en la dévorant des yeux. La discussion ne s'arrêtait jamais entre eux, pas un silence ne trouvait sa place. Sauf pour s'embrasser. Quelques semaines plus tard, elle s'installait chez Louis. Bientôt, il devrait lui expliquer ce qu'il faisait dans la vie. Jusque-là, il s'en était sorti en restant vague. Il se décrivait comme un conseiller littéraire, aidant de jeunes auteurs à écrire :

— Tu n'as jamais pensé à écrire toi ?

— Comment ça ?

— Sous ton nom. Ton propre roman. Tu serais un bon écrivain, je pense.

Ces mots résonnèrent longtemps dans la tête de Louis. C'est vrai, après tout, le succès de Beruer reposait beaucoup sur lui, et de plus en plus d'ailleurs. Paul était de moins en moins impliqué dans leur travail, se reposant sur leurs succès. Il ne voulait pas devenir ce que Beruer avait déjà été avant *L'admirateur* ; un auteur attendu et décevant. Grâce à lui, Paul était plus connu que jamais et il appréciait toujours davantage ce statut de *star des librairies* (L'Express) et de *Prince du crime littéraire* (La Croix). Il y a une quinzaine de jours, il était reçu comme un invité exceptionnel de Claire Chazal et de son émission culturelle :

— Paul Beruer, bonsoir, vous êtes rare dans les médias, c'est un plaisir d'être avec vous pour discuter de votre dernier roman.

— Merci de m'inviter.

— Voilà désormais plusieurs années que le nom de Paul Beruer est connu de tous, on sait votre discrétion, comment vivez-vous cette notoriété ?

— Très bien à vrai dire. Oui c'est vrai que je suis assez discret, mais c'est toujours agréable de voir son travail apprécié. Vous savez, l'écriture est un travail solitaire et voir tous ces lecteurs en redemander année après année c'est un vrai plaisir qui me pousse à faire mieux à chaque nouveau roman.

— Cette solitude ne vous pèse pas parfois ? Elle ne bride pas votre créativité ?

— Bien au contraire, elle me permet de me consacrer pleinement à mon œuvre. J'aime être le seul artisan de mon écriture.

Visiblement, Paul était devenu plus à l'aise avec sa célébrité, du moins en public, à force de voir son nom partout. *L'écriture est un travail solitaire* il n'en revenait pas. Des années de travail ensemble et il en était à se vanter publiquement d'être *le seul artisan de [son] écriture.*

Chaque jour, se rendre chez Paul pour continuer à alimenter la légende de Paul Beruer devenait plus pénible. Un jour, Louis lui parla de Sophie, et Paul ne trouva rien de mieux à dire que lui aussi était très sollicité par la gent féminine, recevant chaque jour des dizaines de lettres d'admiratrices. Louis se sentit insulté.

— Pourquoi tu as dit ça chez Chazal ? lâcha un jour Louis.

— Dis quoi ?

— Que tu travailles seul.

— Et quoi ? Tu veux que je déballe tout comme ça ? On a construit une image publique d'un écrivain solitaire.

— C'est ce que tu veux être.

— C'est ce que nous sommes, répliqua sèchement Paul.

— Moi je ne suis rien, Paul.

— Ne dis pas de bêtises.

Leurs échanges étaient de plus en plus brefs, et Paul de moins en moins investi. Il était désormais le seul à faire semblant que tout allait bien dans leur duo. Louis ne faisait plus d'efforts, s'asseyant à son bureau, dans le salon de Paul, et travaillant tel un obligé du grand Paul Beruer.

Un soir, plus déprimé que les autres, il avoua tout à Sophie.

— Tu te souviens quand on s'est rencontré ? Je t'ai dit que je connaissais Beruer.

— Oui, tu as dit ça pour me draguer, sourit-elle, c'était à la fois mignon et un peu pathétique je trouve.

— C'est moi Paul Beruer.

— Quoi ?

— Enfin non, mais disons que je travaille avec lui.

— Comment ça ?

— On écrit ensemble depuis des années.

— Ensemble ? Depuis quand ?

— *L'admirateur.*

— Tu es quoi au juste ? Son nègre ?

— Non, on travaille ensemble.

— Mais c'est son nom sur la couverture.

— Oui.

— Donc tu es son nègre, Louis.

— Non, c'était plus simple que ce soit son nom c'est tout.

— Mais il te paye pour ça.

— Oui, on partage tout en deux.

— Tu es son nègre Louis, assena de nouveau Sophie.

L'entendre dire cela blessait Louis au plus profond de son être. C'était la première fois qu'il lui semblait comprendre sa vraie relation avec Paul. Il se servait de lui pour écrire, lui apportait sa créativité et l'originalité qui lui manquait tant. Et il était payé pour cela, comme un employé. Il se rendait chaque jour chez lui, comme on va au travail.

— Il vous suffit d'écrire à deux, essaya Sophie.

— C'est déjà ce qu'on fait.

— Avec ton nom sur la couverture cette fois. Après tout ce que tu as fait pour lui, il peut bien partager un peu de sa gloire, non ? Il te doit au moins cela.

Les jours suivants, Louis se rendit chez Paul à contrecœur. Les regards étaient fuyants, et les silences toujours plus pesants. Paul continuait comme si rien n'avait changé. S'en apercevait-il seulement ? Il ne voyait que le succès. Louis se sentait pris au piège. Il repensait souvent à ces mots de Roland Barthes : *L'écriture est destruction de toute voix, de toute origine. L'écriture, c'est ce neutre, ce composite, cette oblique où fuit notre sujet, le noir et blanc où vient se perdre toute identité, à commencer par celle-là même du corps qui écrit.*

Un soir, avant de partir, il demanda à Paul s'il pouvait dîner ensemble ce dimanche. Paul fut surpris, à vrai dire les cafés du début étaient loin et ils ne se voyaient plus beaucoup en dehors de leurs longues séances d'écriture. Il accepta et l'invita à revenir chez lui, le dimanche soir suivant. Cela leur permettrait peut-être de se parler davantage. Ils avaient besoin de se retrouver.

Chapitre 3

Paul était confiant. Il voyait bien que Louis était sur la réserve ces derniers temps. Il proposait moins d'idées et les défendaient avec moins de vigueur lors de leurs échanges. C'était souvent Paul qui avait le dernier mot, assez facilement, face aux lacunaires réponses de Louis. Il y avait longtemps désormais qu'ils ne riaient plus ensemble. Ce n'était plus que du travail. Et si leur succès n'était pas démenti d'année en année, il était évident que la fougue des premiers temps était bien loin. Peut-être que Louis voulait voler de ses propres ailes désormais ? Après tout, ce serait normal, c'est un écrivain brillant, il mérite autant de renommée que lui. Mais cela veut dire qu'ils ne travailleraient plus ensemble. Paul serait-il capable d'écrire sans lui ? Avant l'arrivée de Louis dans sa vie, il se souvint de longues pannes d'inspiration et de livres décevants à chaque parution. Ils avaient construit ensemble cet incroyable succès. Pourquoi tout arrêter maintenant ?

Louis arriva devant l'immeuble de Paul. Il pensa que c'était peut-être la dernière fois qu'il s'y rendait. Il était bien décidé à désormais mettre un terme à leur collaboration. Il en avait longuement discuté avec Sophie. Tout le succès de Paul reposait sur son travail. C'était lui qui avait redonné à Paul le goût d'écrire, c'était lui qui avait redessiné le style Beruer. Et tout ça pourquoi ? Oui, bien sûr, il y avait l'argent, mais cela ne l'avait jamais intéressé. Il se revoit dans sa chambre d'adolescent à se rêver écrivain. Aujourd'hui il n'était au mieux qu'un nègre littéraire, complice d'une arnaque. Sophie trouvait que mentir ainsi à leur public, à tous ces lecteurs, était terriblement irrespectueux.

Comme souvent, elle avait raison. Paul et Louis se devaient de leur dire la vérité.

La première chose que nota Louis en arrivant chez Paul Beruer c'était l'odeur de l'osso bucco sur le feu. Paul adorait ce plat. Il avait appris à le cuisiner à la perfection lorsqu'il était en poste diplomatique à Rome. Ce plat traditionnel milanais demande de l'attention. Un ragoût de jarret de veau, braisé au vin blanc sec, ne devait pas être laissé sans surveillance. Il fallait s'assurer que les carottes, les tomates et les poireaux imprègnent la viande qui mijote à feu doux dans sa sauce.

— Je te sers un verre de vin ? demanda Paul, je viens d'ouvrir un vin de Cahors, je sais que tu l'aimes bien.

— Volontiers, répondit Louis.

Après quelques banalités, sur la météo, l'actualité et sur l'osso bucco, l'ambiance se détendit.

— Je ne fais que suivre la recette tu sais, le secret c'est de bien faire mi...

— Tu ne fais que ça suivre une recette ;

— Que veux-tu dire Louis ?

— Avec moi, tu as trouvé la recette du succès, si on peut dire.

Ces banalités d'usages l'avaient certes détendu, mais il était désormais pressé d'en venir au but.

— Attends, tu ne veux pas qu'on discute de tout cela à table ? Paul sentait Louis énervé, il lui fallait calmer le jeu.

— Non Paul, tu n'as plus autorité sur moi, c'est fini, répliqua sèchement Louis.

— Autorité ? Pardon ? Je ne suis pas ton chef Louis ! Nous travaillons tous les deux d'égal à égal, je te rappelle.

— Foutaises.

— Tu gagnes autant que moi je te ferais dire.

— Et c'est ton nom sur la couverture.

— C'est donc cela le problème !

— Bien sûr que c'est ça le problème !

À mesure que le ton montait, Louis s'était approché de Paul. Ils étaient désormais tons les deux face à face dans la cuisine. Voir Louis tant énervé agaça Paul. C'était un caprice d'enfant gâté. Grâce à lui, il était passé d'un écrivain du dimanche jamais publié, d'un médiocre professeur à un écrivain riche et publié, certes pas sous son nom, mais ce sont bien ses mots qui sont lus par des milliers de personnes chaque année. Et à ajouter à cela, une fortune considérable sans que la célébrité lui porte préjudice. Il pouvait sortir dans la rue, vivre en parfait anonyme sans être suivi par un fan dérangé ou un paparazzi encombrant.

— Et alors quoi ? Tu penses exister sans moi ? Je te rappelle qu'avant de me connaître tu n'étais rien.

— Et toi un écrivain ringard.

— J'en suis un, moi au moins !

Ce dialogue semblait à Paul bien puéril. Louis sentait en lui monter une rage indescriptible. Il n'appréciait pas le ton condescendant de Paul.

— Essayons, écoute, lança Louis en le défiant.

— Essayons quoi ?

— Tu écris tout seul pour une fois, et moi aussi.

— Tu n'as pas d'éditeur, personne ne te connaît Louis.

— Présente-moi à ton éditeur. Notre éditeur.

— Hors de question Louis. Ça fonctionne bien tous les deux, et toi tu veux tout gâcher ! s'emporta Paul.

— Je veux être reconnu pour mon travail ! Je veux mon nom sur la couverture ! Je ne pense pas que cela soit trop demandé après toutes ces années.

— Tu sais bien que c'est impossible ! Tu veux quoi ? Qu'on dise à tout le monde qu'en fait on écrit à deux ? Que le grand Beruer a besoin d'un petit jeune capricieux pour écrire ?

— Parfaitement, que tout le monde sache que tu n'es rien sans moi, que tu n'es pas foutu d'écrire une ligne.

— Tu vas trop loin Louis.

Ça en était assez. Il repensa à ce que lui disait Sophie. Paul se comportait comme son supérieur, sûr de son talent et incapable de reconnaître que sans lui, il ne serait plus rien depuis longtemps. Pourquoi Beruer avait eu sa chance et pas lui ? Il devait être publié. Ne plus travailler avec lui.

— Sans moi tu n'es rien, lâcha Paul.

C'en était trop. Tout cela devait se finir maintenant. Dans un élan incontrôlable, fou de rage, Louis attrapa le couteau à viande derrière lui et se jeta sur lui. Paul essaya de le retenir par les épaules, mais il était trop tard. La lame était déjà enfoncée dans son ventre.

Les yeux de Paul traduisaient à la fois la douleur du coup, mais aussi la surprise de voir Louis capable d'un tel geste. Il était lui-même perdu, venait-il vraiment de poignarder Paul ? Il ne pouvait pas le croire. Mais déjà, Paul tombait au sol. Une mare de sang se formait autour de lui. Les mains de Louis étaient rouges de sang quand il lâcha enfin le couteau. La chemise de Louis était recouverte du sang de Paul. Il se pencha sur lui, le souffle lui était court. Il chercha à dire quelques mots, mais le sang remontait déjà dans sa gorge et c'était parfaitement inaudible pour Louis. Quand une horrible sensation de culpabilité et de regret envahit enfin Louis, le visage de Paul se figea dans une expression de mort.

Louis resta de longues minutes penché sur le corps de Paul Beruer. Le souffle lui manquait, il voulait crier, mais il ne pouvait pas. Comment cela avait-il pu arriver ? Il était un meurtrier désormais ? De penser à cela, il sentait la panique monter en lui. Il ne pouvait pas croire que c'était arrivé. Il était en train de rêver et il allait se réveiller très vite de ce cauchemar.

La mare de sang recouvrait désormais une bonne partie du sol de la cuisine. Louis se releva, surpris que ces jambes puissent encore supporter son poids. Il réfléchit. Que devait-il faire ? Appeler la police ? Plaider l'accident ? Le coup de folie ? Il passerait les vingt prochaines années, au minimum, entre la prison et les tribunaux. Le meurtre d'un écrivain populaire, il imaginait déjà les médias s'emparer de ce fait divers. Il avait passé ces dernières années dans son ombre, il n'allait pas passer les prochaines dans une cellule de deux mètres par trois. Tout cela était si injuste. Il ne méritait pas cela.

Il était là, avachi sur le plan de travail, à sangloter et à imaginer les conséquences de cet acte. Ce qui s'était passé venait de changer à jamais le reste de sa vie. Il pensa au karma, au destin, et même au suicide en regardant ses mains trembler et en sentant son pouls s'affoler. Ses pensées s'emmêlaient, jusqu'en devenir incohérentes, troublées par l'angoisse. C'est alors que tout lui sembla clair. Simple. Évident.

L'ironie de la situation fit naître en lui une excitation aussi honteuse qu'enivrante. Il avait écrit des centaines et des centaines de pages, construisant les intrigues et les pensées de meurtriers, et il en était devenu un. Louis était désormais le personnage principal de sa vie. Il se surprit à ne plus hésiter. D'un geste sûr, il attrapa le fait-tout où la viande mijotait encore et vida le tout dans la poubelle. Puis il retira sa chemise, son pantalon et ses chaussures, tachés de sang. Heureusement pour lui, Paul était un vrai maniaque de la propreté et sa cuisine était remplie de produits d'entretien d'une efficacité redoutable. Il commença à éponger la mare de sang, effaçant avec minutie toutes traces. Son œil était aiguisé, il lui semblait ne manquer aucun élément, aucune preuve. La cuisine était désormais propre. Restait le corps de Paul qui jonchait le sol. Preuve ultime de son acte odieux. Comment se débarrasse du corps d'un homme de quatre-vingts kilos habitant le quatrième étage ?

Bien heureusement, les hommes ont de tout temps apprécié s'installer auprès de la ressource la plus essentielle à la vie : l'eau. Les premières villes se développèrent à proximité d'océans, de fleuves ou de rivières. Comme Paris et la Seine. Cela semblait désormais évident pour Louis. C'était le meilleur moyen pour se débarrasser du corps de Paul. Certes, ce n'était pas idéal, son corps pourrait être retrouvé. Mais avec un peu de chance, cela n'arriverait pas, ou alors le corps serait bouffi, gonflé par l'eau, méconnaissable. Ses pensées, d'une froideur macabre, étonnèrent Louis, mais étrangement penser et planifier le maquillage de ce meurtre faisait naître en lui une chaleur réconfortante. Il se sentait vivant. Désormais, il était maître de ses actes, il n'avait rien à perdre. Il se sentait libre. Enfin.

Il fallut deux sacs poubelle de grande contenance pour emballer le corps de Paul. Louis le mit en position fœtale pour pouvoir mieux rentrer ses jambes dans le sac. Le buste fut le plus compliqué. Il fallut d'abord passer les épaules et laisser ensuite glisser le sac jusqu'à sa taille. Pas une mince affaire avec un cadavre. Louis mit ses vêtements tachés de sang dans le sac contenant le corps et se débarrassa par la même occasion des produits d'entretien qu'il venait d'utiliser. Il attacha ensemble les deux sacs, le tout tenu par de larges et épaisses bandes de ruban adhésif. Il alla ensuite s'habiller avec des vêtements de Paul. Il glissa le couteau dans la ceinture de son pantalon.

Arriva désormais l'étape la plus difficile ; descendre le corps de Paul et l'amener jusqu'à la Seine sans croiser personne. Certes, l'immeuble de Paul donnait directement sur le fleuve, mais même cette faible distance à parcourir devenait un véritable périple avec un corps inerte. Et s'il croisait un voisin ? Devrait-il le tuer lui aussi ? Louis avait gardé le couteau sur lui, pour ce faire. Louis se refusait à imaginer l'ensemble des problèmes qu'il pouvait rencontrer ; une seule chose l'obsédait, se débarrasser de ce corps. Il attrapa le sac et le fit glisser sur le palier. Il fallait désormais refermer la porte. Où étaient les clés ? Louis retourna à l'intérieur, laissant sur le paillasson un sac poubelle géant, bricolé à la va-vite, et laissant deviner la présence d'un corps à l'intérieur. Les clés retrouvées, il ferma l'appartement et traîna le corps jusque dans l'ascenseur. Il fallut plusieurs tentatives pour faire rentrer le corps dans cet espace exigu. Quand le buste était en place, les pieds en sortaient. Après quelques maladresses risquant de réveiller tout l'immeuble, Louis parvient à prendre l'ascenseur. Dans sa descente, l'angoisse monta ; et si un voisin attendait l'ascenseur au rez-de-chaussée ? Il ne pourrait pas trouver une excuse valable et crédible tant la situation était évidente. Enfin, l'ascenseur s'immobilisa et les portes s'ouvrirent. Personne. Une chance, se dit-il. À nouveau, il traîna le corps inerte dans le hall, mais arrivé à la porte d'entrée, il se sentit bête. Comment avait-il pu croire possible d'emmener le corps de Paul dans la rue ? Certes, il faisait nuit noire, mais comment traîner un corps jusqu'à la Seine sans attirer la curiosité d'un passant ? Sans abîmer le sac ou même croiser une patrouille de police ?

Heureusement, cette ville était remplie d'éléments très communs que tout le monde voit sans regarder : les poubelles. Il lui suffisait de glisser le corps de Paul dans l'une d'elles, puis de faire rouler cette dernière jusqu'au fleuve. Louis sortit prendre une poubelle dans la rue. L'air était frais et la poubelle remplie. Il la vida sans réfléchir des sacs poubelle qu'elle contenait et autres détritus jetés au hasard dedans. Louis avait oublié qu'il avait laissé pendant de longues minutes le corps gisant de Paul dans ce hall vide, mais ouvert à tous curieux de la nuit. Relever le corps pour le mettre dans cette poubelle était exténuant. Il l'attrapait par le buste, mais rien à faire, c'était trop lourd pour un seul homme.

L'adrénaline qui inondait son corps l'empêchait de penser avec justesse. Il lui suffisait de renverser la poubelle au sol, et d'y glisser le corps. Il passa les épaules de Paul dans son nouveau contenant, qui roula légèrement en arrière, mais le corps finit par rentrer. Louis releva avec difficulté la poubelle avant de refermer le couvercle et de sortir dans la rue. Par chance, ce n'était pas la pleine lune. Seules les lumières de la ville venaient troubler l'obscurité de cette nuit meurtrière. Louis essayait de pousser cette lourde poubelle d'un air naturel. Il se força à marcher d'un pas régulier, l'air serein, comme si tout était normal. Mais qui promène sa poubelle le soir dans Paris ? Louis ne pensait même plus au ridicule de la situation, une seule chose l'obsédait à présent : jeter le corps de Paul dans la Seine.

Les roues de la poubelle faisaient un bruit incroyable sur les pavés. Parvenu le long du quai, il accéléra le pas jusqu'à la rampe d'accès aux quais bas. Aucun parisien ne venait sur ses quais, peu aménagés, et encombrés de divers objets de chantier. Louis s'arrêta, comme figé, devant la Seine. Trop tard, il n'était plus temps de penser, mais d'agir. Il n'allait pas faire visiter Paris de nuit à sa poubelle et son contenu plus qu'encombrant. D'un geste aussi brusque que désespéré, Louis renversa la poubelle, et allongea le corps face au fleuve. Il jeta un dernier regard au sac plastique avant de le pousser du pied.

Le corps de Paul Beruer chuta dans la Seine. Sous l'effet de son propre poids, il disparut dans un bruit sourd sous la surface. Louis n'arrivait plus à le distinguer dans cette nuit noire. Soudain, plus loin, le sac plastique réapparut, flottant au milieu du fleuve. Bientôt, le cadavre de Paul prit de la vitesse, et il n'était plus qu'une ombre à peine dissociable des flots qui le charriaient. Le corps de Paul coula doucement comme un bateau échoué sachant sa fin inéluctable. Voir le sac poubelle englouti par les flots, retira un poids de la poitrine de Louis. Ses jambes ne le portaient plus et il se laissa chuter sur les pavés. Le sang battait fort dans ses tempes, l'empêchant de penser clairement. Il ne voulait plus réfléchir, il voulait juste oublier cette nuit, et Paul Beruer. Louis espérait que tout cela n'était finalement qu'un mauvais rêve. Mais le couteau coincé dans sa ceinture lui rappela son acte impardonnable. Comme tout moment tragique d'une vie, l'ironie vient rendre acide et presque impossible à supporter nos moments de doutes et de profond désespoir.

Après avoir écrit de nombreux polars à succès, où les héros ne sont que des meurtriers ordinaires essayant tant bien que mal de masquer les apparences, le voilà devenu le personnage principal. Louis était désormais le héros d'une vie qu'il n'avait pas voulu. Il était désormais un meurtrier. Il avait beau se le répéter, il ne parvenait pas à y croire. Il venait de tuer de sang-froid Paul et avait jeté son corps à la Seine.

Il resta là de longues minutes, perdant tout à la fois la notion du temps et la possibilité d'être à nouveau heureux un jour. Mais dans un réflexe de survie, Louis finit par se persuader que tout n'était pas fini. Après tout, il n'y avait plus de corps et personne d'autre n'était au courant de ce qui s'était passé cette nuit. Pour l'écriture d'un précédent roman avec Paul, il se souvenait avoir effectué des recherches sur les disparitions inquiétantes jamais résolues. Contrairement à ce que peuvent laisser penser les faits divers, peu d'enquêtes sont ouvertes en cas de disparition d'une personne majeure. Seules des absences jugées inquiétantes par les forces de l'ordre, sur la base d'éléments convaincants, étaient ajoutées au fichier des personnes recherchées. Tout le problème est de parvenir à définir ce qu'est une disparition « inquiétante ». Si le départ semble volontaire, rien n'oblige les forces de l'ordre à ouvrir une enquête. Une personne majeure est libre d'aller et venir comme elle l'entend, sans besoin d'en informer ses proches. Disparaître n'est pas une infraction pénale. Chaque année, en France, près de vingt mille disparitions inquiétantes de personnes majeurs sont constatées. L'équivalent d'une petite ville de province. La plupart sont des personnes fragiles, avec des antécédents psychiatriques ou atteints de la maladie d'Alzheimer, et sont souvent retrouvées, mais les autres ? Autant de disparitions volontaires, d'accidents ou de crimes non résolus ; des enquêtes rares et difficiles qui, chaque jour, chaque semaine, tuent les derniers espoirs de proches qui ne demandent qu'à comprendre.

Avec un peu de chance, la Seine allait emporter ce secret comme bien d'autres avant le sien. Tout cela ne serait qu'une disparition. Pas de corps, pas de meurtre, se disait-il en se rassurant. Et même si un jour prochain, Paul Beruer remontait à la surface, en aval de Paris, son corps serait sûrement déformé, réduisant à néant les chances de trouver des traces de son meurtre. Louis se leva, fit quelques pas avant de s'arrêter. Il revint vers le fleuve et y jeta le couteau. La lame brilla une dernière fois avant de disparaître.

Chapitre 4

Comme tous les matins, le réveil était difficile. Il se leva après que sa femme eut fait du café. L'odeur de l'arabica se répandait dans tout l'appartement. Une toux grasse le prit. Sa gorge l'irritait, il savait depuis longtemps qu'il devait arrêter de fumer. Il prit une douche rapide, froide, presque glacée, comme à son habitude.

Derrière sa tasse chaude, il parcourait les titres du journal *Le Parisien*, et la rubrique des faits divers. Rien de bien intéressant à lire, alors que le soleil se levait dehors. Malgré les injonctions de sa femme, il ne mangea rien. Il se trouvait déjà bien trop gros. Une surcharge pondérale qu'il vivait comme une lente et inévitable dégradation de son corps. À chaque poursuite, bien heureusement elles sont rares, ses jambes étaient lentes et ses poumons aux abonnés absents. Il se rassurait en observant ses cheveux, toujours là, gris certes, mais toujours bien plantés sur cette tête dure. Ses doigts épais serreraient ce journal jusqu'à le froisser. Il pensait à la retraite, il y pensait chaque jour un peu plus. Son corps n'attendait que ça, mais son esprit en avait peur. Peur de l'ennui, peur de ne vivre que de souvenirs, et d'oublier le frisson, propre à son métier. Ne plus se sentir pleinement vivant. Et perdre son instinct qu'il aime tant, et qui, jamais, ne lui avait jamais fait défaut. Sa femme alla à son tour à la salle de bain, il était seul dans ce salon baigné de lumière. Le téléphone sonna. Un bruit strident envahit la maison, arrachant la matinée à sa douceur caféinée.

— Jaspin, à l'appareil.

— Commissaire ? Je vous lève du lit ?

— Non, mais ce n'est pas pour autant que j'apprécie les coups de téléphone matinaux. Qu'est-ce qu'il y a ?

— Une disparition inquiétante, commissaire.

— Tu m'appelles vraiment pour ça, Costal ?

— C'est que vous connaissez bien le disparu, commissaire, il s'agit de Paul Beruer.

— L'écrivain ?

— Lui-même commissaire, sa femme de ménage a trouvé l'appartement vide ce matin.

Le commissaire Jacques Jaspin, après plus de 30 ans d'enquêtes, avait connu bien des matins agités. Ce n'était pas une disparition qui pouvait troubler le reste de sa journée. Le plus souvent, la personne disparue était retrouvée quelques heures après, ses proches s'inquiétant bien assez vite. Mais ce matin, Jaspin savait que cette disparition n'était pas anodine. Il sentait bien que quelque chose n'allait pas. Son instinct de flic venait de se réveiller.

***

Louis passa une très bonne nuit et son réveil fut tout en douceur. Il se tourna pour enlacer Sophie encore profondément endormie. Il se sentait reposé, mais le corps encore tout engourdi dans ses draps chauds. Des images de la nuit lui revenaient en tête. Son arrivée chez Paul. Le ton qui monte entre eux. L'odeur de la viande cuite. Le couteau. Le regard vide de Paul. Son sang coulant lentement sur le sol.

Paul oubliait déjà l'horrible regret qui l'avait tiraillé la veille. Il ne pouvait s'empêcher de se persuader qu'il avait fait le bon choix. C'était un accident. Un coup de folie. Bien sûr, Paul était mort. Il n'avait jamais souhaité cela. Mais il fallait vivre avec ça désormais. Devait-il payer de sa vie derrière les barreaux quelques instants de folie ? Paul Beruer lui avait volé sa gloire, il ne pouvait se résoudre à le laisser lui voler sa vie. Louis se surprenait à être fier de son sang-froid, de sa lucidité après un tel acte. Il n'était pas resté tel un lâche à s'apitoyer sur son sort, il avait agi. Il avait fait en sorte de s'en sortir.

Oui, dans son lit, fixant son plafond décrépi, Louis sentait en lui une immense fureur de vivre, et il adorait ça. Il avait pendant des années écrit des histoires de crime et de meurtre. Que de temps passer à construire le style Beruer noir sur blanc, sans aucune véritable reconnaissance ! Il était désormais devenu, par ce malheureux accident, un héros à la Beruer. Il avait créé Beruer. Il avait tué Beruer. Après tout, c'est le propre de l'écrivain d'avoir droit de vie et de mort sur ses personnages.

Il fallait désormais continuer ce récit, et le faire vivre. Devait-il dire la vérité à Sophie ? Elle était au courant de sa relation avec Paul et l'avait même encouragée à prendre ses distances avec lui. Elle pouvait comprendre. Louis écarta rapidement cette idée. C'était son histoire à lui. Il avait partagé la vedette pendant trop longtemps, c'était son moment. Et puis sait-on jamais, elle pouvait ne pas approuver son geste et lui demander de se rendre à la police, voir aller d'elle-même le dénoncer. Non c'était trop risqué, Sophie ne devra pas être au courant. C'était son secret, il l'emporterait avec lui.

— Tu vas chez Paul ce matin ? demanda-t-elle en préparant son thé.

Louis se devait de continuer à agir normalement. Il ne pouvait être celui qui informe les autorités de la disparition de Paul. D'abord parce qu'il serait tout de suite suspecté et puis qu'il devrait expliquer sa relation avec la personne disparue.

— Oui, il veut absolument que l'on termine un chapitre ce matin, je ne vais pas tarder d'ailleurs.

— Et hier soir, vous avez pu vous expliquer ? demanda Sophie.

— Il a annulé finalement. J'y suis allé pour rien, en chemin il m'a dit qu'il avait un empêchement.

— Ah bon ? C'est curieux quand même, il aurait pu te prévenir avant.

— Je pense qu'il a compris de toute façon, on ne peut pas continuer ainsi et il le sait, répondit Louis, se voulant rassurant.

— Prends le temps de manger un bout, tu as besoin de prendre des forces. Tu ne manges pas beaucoup en ce moment je trouve, le sermonna Sophie.

— Oui tu as raison, je vais manger un peu avant d'y aller.

Il n'avait pas faim. Il avait encore moins envie de retourner chez Paul. Pourtant, il devait y aller une dernière fois. Il devait agir comme à son habitude. Il devait être vu en allant chez Paul. Et même sonner chez lui, demander à un voisin si quelqu'un l'avait vu. Il ne devait pas être celui qui signale la disparition, mais il ne pouvait pas non plus disparaître. Et si la police trouvait son ADN chez lui ? Oui, si quelqu'un remarquait deux écritures manuscrites différentes sur les deux bureaux ? Louis devait être prêt à se défendre et à révéler sa relation avec Paul. Il était possible, s'il y avait une enquête, que son statut de nègre littéraire soit découvert. Loin d'angoisser Louis, cela le rendait impatient. Après tout, si Paul Beruer avait disparu, et qu'il était connu comme son nègre, toute la gloire serait pour lui. Un bon moyen d'en finir avec cette escroquerie. Les lecteurs de Beruer avaient le droit de connaître la vérité. Mais ce n'était pas à lui de leur dire. Non, si c'est le nègre qui dévoile le pot aux roses, tout le monde va penser qu'il le fait dans son intérêt. La supercherie doit être révélée par un autre.

En sortant de chez lui, il tomba à nouveau sur monsieur Hénac et son classeur de timbres.

— Prenez-en, je vous en prie ! Cela me ferait plaisir, vous savez !

— C'est gentil monsieur Hénac, mais…

Louis s'arrêta et observa les timbres. Ils étaient rangés par continent, pays et années. Il sourit.

***

La voiture de Jaspin était un modèle vieux de bientôt trente ans, qui n'avait plus sa place sur la route. Il pensait de plus en plus souvent à l'envoyer à la casse. Il tourna d'un geste bref la clé, mais rien ne vient à part un léger grondement poussif. Après plusieurs tentatives et une bonne dizaine de jurons, le moteur toussa timidement et Jaspin put quitter sa banlieue tranquille. À vingt ans, le commissaire Jaspin n'aurait jamais pensé habiter dans un quartier pavillonnaire. Il était plutôt du genre tête brûlée dans sa jeunesse. Traîner dans son bagage une enfance difficile n'aide pas à être docile. Une mère qui ne compte pas ses heures comme caissière dans la banlieue de Douai, et un père qui passe ses allocations chômage en alcool. Quand les mines ont fermé, certains pères de famille ont perdu pied, ils avaient la main lourde sur la boisson, et bien plus légère quand il s'agissait de retirer leur ceinture pour cogner leurs enfants. Ces fils traînaient alors le plus longtemps possible dehors, évitant le foyer familial, aussi dangereux que haïssable. Quand on est jeune, avec toute une bande d'amis tout aussi à fleur de peau que vous, on commence à multiplier les bêtises. Jaspin devint rapidement le chef de la bande de ce joyeux groupe, s'amusant à troubler l'ordre public, entre vols de sacs de grands-mères tard le soir, et rixes avec d'autres voyous pour des questions absurdes de territoire ou de filles. Jaspin voyait plus grand. Pas encore majeur, il s'associa avec de plus gros bonnets. Un objectif : les cambriolages. Rien de spectaculaire, des abris de jardins, des garages puis des modestes appartements l'été, quand les propriétaires sont en vacances. Mais un jour au lycée, la police vint l'arrêter. Il se retrouva en salle d'interrogatoire. Un jeune commissaire au nez aquilin et à la barbe mal rasée s'assit face à lui. Il lui lança une liasse de billets. Il y en avait bien pour trente mille francs.

— Prends-les. Ils sont à toi, vas-y, je te les donne. On vient de les prendre à un trafiquant de drogue qui sert de passeur vers l'Angleterre. Tu fais ça pour le fric pas vrai ? C'est ça qui t'intéresse je me trompe ? Vas-y prends les !

Jacques Jaspin ne bougea pas.

— Non bien sûr que non, tu t'en fous du blé. Toi ce que tu veux c'est exister. Tu ne veux pas de cette vie. Je reviens de chez toi, j'ai vu tes parents. Ta mère est au bout du rouleau. Et ton père est un alcolo qui tient à peine debout.

Il sentait son sang bouillir.

— Écoute petit, tu n'es pas obligé de finir comme ça. Tu n'es pas obligé de jouer le caïd. Tu n'as pas l'air stupide, alors essaye de te comporter en gars bien. Finis pas comme ton père.

Ce jeune commissaire n'entendit plus parler du jeune Jacques Jaspin. Cinq ans plus tard, il accueillit les nouveaux de la brigade, fraîchement sorti de l'école de police. Il le reconnut tout de suite. Les deux firent équipe et il apprit à Jaspin toutes les ficelles du métier. Les planques, les suspects qui mentent lors des interrogatoires, l'examen minutieux des indices et l'art de pousser une gueulante pour que les stagiaires fassent plus vite le café. Le duo se fit rapidement une réputation dans tout le nord de la France. Leur spécialité ? Démanteler les réseaux de trafics de stupéfiants. Ils adoraient aller chercher le petit dealer du coin et remonter toute la filière avec patience et minutie. Mais un jour, son ami et mentor lui annonça qu'il avait un cancer. Le foie. Phase terminale. Cinq mois plus tard, Jaspin l'enterrait sans dire un mot. Mais Jaspin ne s'en remit jamais, enchaînant dès lors les épisodes dépressifs, mais ne perdant jamais son zèle de flic. Comme un hommage à celui qui n'aurait jamais dû partir si jeune. Ses bons états de service lui permirent de rejoindre Paris et la brigade criminelle.

Il passa plus de vingt ans dans cette équipe jusqu'à aujourd'hui. Il avait sûrement l'une des plus belles réputations dans le milieu. Connu pour les nombreuses arrestations dont il était l'auteur, son professionnalisme sans failles et son flair infaillible de flic. C'était un inspecteur à l'ancienne, le genre qui laisse le sourire au vestiaire, pas toujours tendre avec ses collègues, encore moins avec les suspects. Sans jamais de violence. Ne jamais reproduire les erreurs paternelles. Il appréciait les voyous avec une certaine classe. Il avait même une certaine sympathie pour ceux qui agissaient avec panache. Il se souvient d'un receleur s'étant rendu alors même qu'il était sur ses traces.

Le hors-la-loi s'était rendu en déclamant une sérénade, guitare à la main, sur le parking du commissariat à Sarah, une jeune collègue flic. Le refrain commençait sur un maladroit « Je me rends, car elle a pris mon cœur ». Jaspin rendait visite parfois au hors-la-loi chanteur en prison. Il lui apportait des livres, des romans policiers, évidemment.

Chapitre 5

Jaspin tourna de longues minutes le long des quais pour trouver une place. L'occasion de constater le calme du quartier. Personne ce matin dans les rues balayées d'un vent froid. Il s'alluma une cigarette après avoir mis son brassard orange barré d'un *POLICE*. Deux agents dilettantes faisaient le gué devant l'immeuble de Paul Beruer. Il remarqua des sacs poubelles et divers détritus en pagaille devant.

À l'arrivée du commissaire, ils se redressèrent pour le saluer :

— Bonjour commissaire, c'est au quatrième étage. On vous accompagne ?

— Merci, je vais trouver tout seul, je pense.

L'agent espérait bien avoir l'occasion de se réchauffer à l'intérieur.

Jaspin prit les escaliers. Les quatre étages ne l'enchantaient guère, mais il préférait être essoufflé à l'arrivée plutôt que de prendre l'ascenseur. Voilà quelque temps qu'il développait une peur des espaces clos. Ou plutôt d'y rester enfermé. L'été dernier, en se rendant chez son dentiste pour une rage de dents matinale, il tambourina sur le bouton du deuxième étage pour en sortir au plus vite. Ses poumons s'étaient comprimés, il ne pouvait plus respirer, sa tête était lourde et s'était mise à tourner. Il se jeta hors de l'ascenseur, reprenant ses esprits et retrouvant son calme avant de réaliser qu'il venait de faire une crise d'angoisse. Depuis, il évitait les ascenseurs. Au quatrième étage l'attendait Julien Costal, capitaine de police, qui discutait avec une femme d'une cinquantaine d'années.

Julien Costal était un bon flic. Fraîchement sorti de l'école de police, il avait vite été repéré par le commissaire Jaspin. Souvent zélé sur les procédures, il n'en restait pas moins admiratif de son commissaire, plus ancienne école que lui. Il aimait apprendre à ses côtés. Il préférerait parfois avoir un patron plus souriant, mais qu'importe, il respectait Jaspin et se savait chanceux de pouvoir travailler avec lui.

— Ah commissaire, la femme de ménage, c'est elle qui a constaté la disparition. J'ai déjà commencé à l'interroger si vous voulez reprendre avec moi… ?

Jaspin fit un simple geste de la main comme pour signifier que cela pouvait attendre. Il n'en revenait pas d'avoir accès à l'appartement de Paul Beruer. Tant de mystères sur cet auteur si secret. Il le savait très solitaire, mais à quoi s'attendre ? Un appartement très rangé digne d'un propriétaire maniaque ou bien le désordre permanent, mais inspirant d'un esprit créatif ? Il fut surpris par la banalité des lieux. La femme de ménage l'attendait sur le palier, lui racontant affolée, comment elle avait trouvé l'appartement vide, alors qu'elle devait y venir faire le ménage.

— Je viens chez monsieur Beruer deux fois par semaine, dit-elle, oh souvent c'est plus pour discuter avec monsieur Beruer, ce n'est jamais vraiment sale, vous savez, monsieur Beruer est quelqu'un de très soigné.

— Rien d'anormal ce matin, Madame ? demanda Jaspin, vous avez frappé à la porte et pas de réponses ?

— C'est cela même monsieur l'agent, rien, il ne répondait pas, ça ne lui ressemble pas du tout. Alors comme il m'a donné un double des clés, je suis venu ouvrir et j'ai vu qu'il n'y avait personne. Cela fait bien dix ans que je viens faire le ménage dans cet appartement et monsieur Beruer est toujours là. Ce n'est pas normal, monsieur l'agent, monsieur Beruer m'aurait prévenu ça j'en suis certaine, cela ne lui ressemble pas.

Le commissaire Jaspin rassura la femme de ménage, et elle redescendit les escaliers en fixant cette porte ouverte d'un regard inquiet.

Aucun signe suspect à première vue. Pas de traces de violences. Seul un salon meublé de deux bureaux présentait un peu de désordre, mélange de brouillons raturés et de stylos. Jaspin remarqua le papier utilisé. Un papier très épais, presque rugueux au toucher. Rare pour du simple brouillon. Le papier bible est d'une épaisseur remarquable, ce qui ne l'empêche pas d'être léger. L'écriture de Beruer semblait glisser dessus, un trait fin et appuyé. Les lettres, toutes de même taille, étaient liées entre elles, serrées, comme pour faire tenir plus de mots sur une même ligne. Jaspin pouvait essayer d'y déchiffrer des morceaux d'un prochain roman, tout était là, à portée de main. Pourtant, il ne pensait qu'à une seule autre chose. La cuisine. Elle était d'une propreté remarquable. Qui prend la peine de nettoyer de fond en comble sa cuisine avant de disparaître ? Certes, le reste de l'appartement était aussi propre que rangé, mais la cuisine était étincelante. Pas une poussière, un plan de travail brillant et un sol impeccable. Aucune chance d'y trouver une empreinte de chaussure ou même quelques miettes égarées. La salle de bain était tout aussi rangée. En ouvrant les tiroirs, Jaspin s'aperçut qu'il y avait des espaces vides qui devaient sans doute contenir normalement des serviettes et une trousse de toilette. Ce qui laissait penser à un départ volontaire de Paul Beruer.

Le lit était bien fait. À première vue, tout était à sa place dans la chambre. D'un geste instinctif, Jaspin ouvrit l'armoire. Il savait ce qu'il allait trouver. Elle était pratiquement vide. Les tiroirs étaient à moitié remplis et les cintres vides pendaient et se balançaient dans le vide.

— Il est parti notre écrivain, commissaire.

— Il semblerait en effet.

Cette découverte de l'appartement ne prit pas plus de quelques minutes. Pas besoin de plus, tout semblait à sa place, Beruer était simplement parti. Jaspin restait pensif. Il connaissait très bien cet écrivain. Il était difficile de ne pas le connaître, les journaux adoraient à chaque nouveau roman, revenir sur le côté mystérieux de cet auteur. Décrit comme asocial, misanthrope, voire agoraphobe. Il y a deux ans, Télérama osait le gratifier d'un nouveau surnom *Le Daft Punk de la littérature.* Jaspin savait bien que Paul Beruer était bien loin d'une rock star. Il ne l'avait jamais vu, mais il l'avait lu. Et on apprend beaucoup de choses en lisant quelqu'un. Il le savait méticuleux, rigoureux, obsessionnel sur certains détails. Un auteur qui ne vit que pour son œuvre, pas pour la gloire ou l'argent. Jaspin aimait décortiquer l'ambiance et les scènes de ses romans. Jusqu'à les voir comme de véritables enquêtes, des situations auxquelles il aurait pu être confronté lui-même. On le sait, Beruer nous amène dans son histoire à travers les yeux du meurtrier. Quel plaisir pour le lecteur d'assumer le temps d'une lecture d'être celui par lequel le mal arrive ! D'autant plus que dans ses romans, le meurtrier est quelqu'un de très banal, monsieur tout le monde, celui qu'on ne pense pas capable de tels actes. Jaspin savait bien que c'étaient les suspects les moins évidents qui étaient les plus dangereux.

Ceux qui nous font bonne impression, ceux qui gardent leur sang-froid, ceux qui nous inspirent confiance. Le commissaire adorait suivre le meurtrier dans les romans de Beruer et pensait à ce qu'il ferait à sa place et comment la police pourrait prouver sa culpabilité et l'arrêter. Un vrai exercice pratique pour commissaire aguerri. L'appartement était bien rangé, il n'y avait aucune trace d'effraction, ou de lutte. Beruer était visiblement parti sans laisser de traces. Mais un bon flic est doté d'un instinct nourri d'expériences et de talent. Avant de partir, est-ce que le méticuleux Paul Beruer avait pris le temps de sortir les poubelles ?

***

Pour la première fois depuis longtemps, le trajet jusque chez Paul, fut agréable pour Louis. Même prendre le métro ne le gênait plus. Le soleil était encore timide, mais quelques rayons venaient réchauffer la matinée. Louis se sentait respirer à pleins poumons. Il était libre. Libre d'être enfin lui-même. Il repensait à tous ces moments où il avait mérité plus de lumière que le célèbre écrivain. C'était à son tour de briller désormais.

54

Louis se sentait invulnérable, rien ne pouvait altérer cette confiance. Désormais, tout ce qui pouvait gêner son bonheur avait disparu. Louis commençait à être fier de ses actes de la veille. Après tout, Beruer avait eu une belle vie. C'était un modeste écrivain qui grâce à lui avait pu usurper une gloire qu'il ne méritait pas. Il faut pouvoir partager le bonheur dans ce monde à proportion que l'on y contribue, pensa-t-il. Louis Armand comptait bien jouir sans relâche de cette liberté. Il avait envie d'écrire.

Bien sûr, Louis devait encore réussir le maquillage de la mort de Paul. Cela lui semblait une formalité ce matin. Il allait arriver chez lui, toquer bien fort à la porte, l'appeler, de manière à ce que les voisins l'entendent bien, puis aller voir ces derniers afin de leur demander le plus naturellement du monde s'ils ont vu Beruer récemment. Évidemment, Paul n'avait pas de contacts avec eux. Tolérant leur présence poliment, il n'avait jamais envisagé d'entretenir de bonnes relations de voisinage. Il suffisait donc à Louis de demander à ces voisins d'être vigilant et de signaler sa disparition à la police au cas où ils ne le voient pas d'ici quelques jours. Ainsi, ce n'est pas lui qui entrerait en contact direct avec la police. Avec un peu de chance, aucune enquête ne serait ouverte. Mais si c'est le cas, il lui suffirait de se présenter aux forces de l'ordre comme un ami de l'auteur.

Mais ce scénario bien travaillé s'évanouit en quelques secondes quand il croisa la femme de ménage dans les escaliers.

— Ah vous voilà vous ! lança-t-elle. Il devait sûrement être là, prévenu par la police, pensa-t-elle. Ils vous attendent chez monsieur Beruer.

Louis n'eut pas le temps de demander plus d'explications, elle était déjà un étage plus bas. Ils ? Qui sont ces gens qui l'attendent ? Beruer ne recevait jamais personne, qui pouvait bien se trouver chez lui ? Louis monta les dernières marches avec fébrilité. Se pouvait-il que la police soit déjà sur place ? Paul avait disparu la veille ! Comment pouvait-il déjà être là ? Louis entendit deux hommes échanger quelques mots au quatrième étage. Trop tard pour reculer. La femme de ménage l'avait croisé dans les escaliers. Un homme sur le palier de l'appartement de Paul. Main sur les hanches. Un brassard orange sur le bras.

— Monsieur ? Je peux vous aider ? Costal l'approcha, sentant son regard perplexe.

— Oui, excusez-moi, je viens voir Paul Beruer, répondit Louis en fixant la porte ouverte.

La police était déjà là, à inspecter l'appartement. C'était sûrement la femme de ménage qui avait signalé sa disparition. Louis s'attendait à plus de dilettantisme de la part de la police, pour un simple cas de disparition toute récente.

— Monsieur Beruer n'est pas là, on est venu suite à un signalement ce matin.

— Un signalement ? Comment va-t-il ? Où est-il ?

— On ne sait pas Monsieur, il aurait disparu. Vous êtes un ami ?

— Oui. Je venais le voir comme souvent, mais je ne comprends pas, comment ça, disparu ?

Costal l'invita à entrer dans l'appartement pour poursuivre la discussion. Louis franchit la porte et se retrouva à nouveau dans cet appartement qu'il ne supportait plus. À sa gauche, un homme était penché, laissant découvert le bas de son dos. Un homme d'une cinquantaine d'années, à la chevelure grisonnante et à l'embonpoint prononcé. Il semblait peu à l'aise dans cette position pour le moins inconfortable. Il fouillait la poubelle de la cuisine avec entrain. On aurait dit un chien truffier en plein travail.

— Commissaire, je vous présente…

— Louis, Louis Armand, compléta le nouvel arrivant, d'un air faussement naïf.

Jacques Jaspin se releva lentement et examina Louis. Il lui semblait avoir devant lui un de ces jeunes parisiens des beaux quartiers, bardés de diplômes et d'ambitions. Un de ces intellos au col de chemise toujours impeccable. Louis sentait bien que le commissaire l'examiner. L'air renfrogné du commissaire ne lui disait rien qu'y vaille.

— Je suis un ami de Paul, tenta Louis, je suis venu lui rendre visite.

— Monsieur Armand, je suis le commissaire Jacques Jaspin et voici le capitaine Julien Costal. Vous connaissez Paul Beruer depuis longtemps ?

À vrai dire, la réponse n'intéressait pas vraiment le commissaire Jaspin. Il était simplement étonné que Beruer puisse avoir un ami de ce genre.

— Oui, depuis plusieurs années, il m'arrive de passer le voir, de venir discuter de tout et de rien. Il ne sort pas beaucoup, vous savez, cela lui fait un peu de compagnie.

— Cela ne l'empêche pas de vouloir se faire de sacrés gueuletons et d'avoir des pertes d'appétit.

— Pardon commissaire ? demanda Costal.

— Il y a dans cette poubelle un jarret de veau entier, presque cramé, déclara le commissaire, montrant ses mains enduites de sauce, à la recherche d'un torchon.

— Le gars se prépare un plat pour quatre personnes, jette le tout à la poubelle, et disparaît ? reprit le commissaire. Il a dû perdre l'appétit sûrement, ironisa-t-il.

Comment avait-il pu oublier la poubelle ? Louis avait envie de se cogner la tête sur le plan de travail. Il avait pensé à tout. Mais pas à cette poubelle. Il se rassura en se disant que ce n'était pas un élément d'une importance capitale, et que c'était encore moins une preuve pouvant amener à penser à un meurtre. Costal alla dans son sens :

— C'est juste de la viande commissaire, cela ne veut rien dire.

— C'est vrai Costal. Pourtant c'est rare de prendre la poudre d'escampette, l'estomac vide. Et puis à part cela…

Jaspin retourna fouiller la poubelle et en sortit des produits d'entretien et une éponge.

— Visiblement, il a passé sa fringale en faisant un petit ménage de printemps.

Louis se força à garder une attitude neutre, comme s'il découvrait tout cela en même temps que le capitaine.

— Je ne pense pas à une disparition, Costal. Je pense plutôt à une fuite. Beruer a eu peur de quelque chose et a précipitamment fui, reprit le commissaire Jaspin.

— Commissaire ! mettez des gants ! pour les empreintes, pesta le capitaine.

— La scientifique ne va pas se déplacer pour un jarret de veau, Costal. Aide-moi plutôt à faire le tour de cet appartement.

Louis Armand se retrouvait au milieu de cet échange, spectateur de cette partie de Cluedo géante. Son cœur s'accéléra, il était presque sûr qu'on pouvait l'entendre dans tout l'appartement. Jaspin s'approcha des fenêtres du salon, observant le vis-à-vis. Quelqu'un pouvait-il voir ce qui s'était passé hier soir ? Malheureusement, peu de fenêtres données directement sur l'appartement de l'écrivain. Louis observait le commissaire sans plus oser respirer.

— Monsieur Armand, commença le commissaire. Le cœur de Louis rata un battement.

— Monsieur Berucr est-il coutumier de ce genre de départ précipité ?

— Non, pas à ma connaissance, mais vous savez ce n'est pas quelqu'un de très sociable, je ne suis pas sûr qu'il m'en parlerait.

— Vraiment ? À vous, son ami qui venait lui tenir compagnie de bon matin ? Drôle de conception de l'amitié.

— Sa conception à lui, répliqua Louis sèchement.

D'un regard entendu, Costal et Jaspin se mirent d'accord sur le fait qu'il n'avait plus rien à trouver dans cet appartement.

— Monsieur Armand, dites-moi.

Louis voyait comme un piège se refermer doucement sur lui.

— Monsieur Armand, vous nous accompagnerez au commissariat ?

— Moi ? Mais enfin, pourquoi ? Je veux dire, je vous ai dit tout ce que je savais, je vous assure.

— Nous vous croyons, ne vous en faites pas monsieur Armand, sourit Costal, c'est pour déclarer le signalement de la disparition de monsieur Beruer.

— Oui, renchérit Jaspin, ce n'est que pour des formalités administratives, on a besoin d'un proche pour déclarer officiellement sa disparition et commencer une enquête. Ça aurait été mieux avec la femme de ménage, mais la pauvre dame semblait sous le choc. Mais vous ça à l'air d'aller non ?

***

Paul avait disparu. Oui, c'était étrange, mais on n'enquête pas sur l'étrange, cela serait bizarre. Louis n'avait pas le choix. Le commissaire lui semblait être froid, distant, mais aussi obstiné et d'une intelligence remarquable. Il lui faisait penser à Paul, d'une certaine façon. Les trois hommes sortirent de l'appartement. Jaspin ferma la porte, en jetant un dernier regard dans l'appartement.

Alors que les deux autres commencèrent à descendre les escaliers, il s'arrête devant la porte de l'unique voisin de palier de Paul Beruer. Se pouvait-il qu'il ait entendu quelque chose ? Sans plus attendre, il frappa à la porte. Costal se retourna.

— Commissaire ?

— Deux secondes, Costal.

Un homme, petit et sec, ouvra la porte.

— Oui ?

— Pardon de vous déranger Monsieur, répondit Jaspin en montrant son insigne, votre voisin a disparu, vous avez entendu quelque chose ces derniers temps ? Avait-il un comportement différent récemment ?

L'homme, en costume noir, semblait intrigué. Il passa la tête hors de son appartement et vit le capitaine Costal et Louis Armand. Comme un réflexe, il salua d'un signe de tête Louis. Jaspin ne passa pas à côté. Il savait d'expériences que les petits gestes et autres allusions conduisaient inévitablement à des indices. Les indices à des preuves. Et les preuves au coupable. Il désigna d'un doigt accusateur Louis.

— Vous connaissez cet homme ?

— Pas vraiment, enfin on se croise régulièrement, Monsieur rend souvent visite à monsieur Beruer.

Cela validait sa thèse de l'ami qui rend visite régulièrement à Paul Beruer. Le visage de Jaspin semblait moins crispé. Il avait peut-être jugé trop vite Louis Armand.

Louis sentait qu'il devait se montrer sympathique pour étayer sa version.

— Vous allez bien ? lui demanda-t-il.

— Bien merci, j'allais me rendre au travail, mais vous me dites que monsieur Beruer a…. disparu ? c'est bien cela ?

— En effet, intervient le capitaine Costal, vous avez entendu quelque chose ?

— Vous savez monsieur Beruer reçoit peu, si ce n'est Monsieur, répondit le voisin en regardant Louis.

Ce jeune homme, bien propre sur lui, était donc un ami proche de l'écrivain, pensa Jaspin. Quelle chance ! Côtoyer un tel personnage, aussi mystérieux que talentueux. Peut-être que ses suspicions étaient simplement de la jalousie. Jaspin aurait beaucoup aimé pouvoir échanger avec Beruer, comprendre ses raisonnements, sa manière d'écrire, de construire son récit et ses personnages. Il fallait passer outre ses sentiments afin de rester objectif sur l'enquête.

— Hier soir, il a reçu quelqu'un, je pense, j'ai entendu deux hommes discuter, et plus tard un bruit, comme si quelque chose de lourd se déplaçait sur le parquet du palier, ça n'a duré que quelques secondes, mais c'était comme un déménagement vous voyez, ce qui m'a étonné je dois l'avouer, monsieur Beruer est un voisin très calme, continua le voisin, visiblement bavard ce matin.

— Ce n'était pas vous ? demanda Costal à Louis. Ce dernier sentait à nouveau son cœur s'accélérer.

— Non, comme je vous ai dit je ne l'avais pas vu depuis quelques jours. Il semblait avoir convaincu les deux enquêteurs :

— Très bien c'est noté, merci Monsieur. Ils se saluèrent puis Jaspin, Costal et Louis descendirent les escaliers.

— Je ne vous ai pas proposé de prendre l'ascenseur commissaire, pardon, mais il est vraiment étroit, on ne serait pas rentré tous les trois, s'excusa Costal.

— Non, non, mais les escaliers c'est très bien. Ça me fait faire de l'exercice. J'en ai besoin, répondit-il en tapotant son ventre.

Puis les trois hommes reprirent la voiture de fonction de Costal. Jaspin s'installa côté passager quand Louis prit place à l'arrière. Il pensait à ce siège, réservé aux suspects, et autres coupables. Il y était. Il pensait simplement se rendre chez Paul, et amener le voisin, ou la femme de ménage ou tout autre familier de l'immeuble à signaler la disparition de Paul Beruer. Au lieu de cela, il avait fait la rencontre de deux flics, dont l'un peu enclin à classer l'affaire promptement. Il repensait à la poubelle de la cuisine. Et à ce voisin à l'oreille fine, s'amusant à alimenter les doutes de Jaspin. Ils avaient peu de route à faire jusqu'au commissariat, mais les bouchons du matin leur donnèrent l'occasion de discuter. Costal était concentré sur sa conduite, mais Jaspin avait envie de causer.

— Elle me plaît bien cette affaire.

— Je m'en doutais commissaire, c'est pour ça que je vous ai appelé. Vous parlez tellement de ce gars et de ses bouquins dans toute la brigade, je savais bien que vous vous précipiteriez.

— Oui, tu as bien fait Costal. Vous savez, Jaspin se retourna pour voir Louis, j'ai tout lu de lui.

Et moi tout écrit, pensa Louis. Le commissaire Jacques Jaspin n'était pas passionné par cette banale affaire de disparition sans preuve, sans témoin, et sans véritable indice. Il était intéressé par la disparition de Paul Beruer. Jaspin se retrouvait plongé dans une enquête d'un roman de Beruer. Une enquête bien particulière ; retrouvez Beruer. Mais dans ses romans, le héros c'est le meurtrier. Cette fois, il voulait que ce soit lui. Ce qu'il ignorait alors, c'est que Beruer était mort, et que son meurtrier était sagement assis juste derrière lui. Louis savourait cette douce ironie, non sans vigilance.

— Que faites-vous dans la vie, monsieur Armand ?

— Je suis professeur de français. En disponibilité.

— Je vois. Dites-moi, vous lui connaissez d'autres amis à part vous ? reprit Jaspin en l'observant dans le rétroviseur intérieur. Louis se mit à improviser, guider par une insouciance qu'il savait aussi séduisante que dangereuse :

— Oui, des amis écrivains il me semble, mais je ne les connais pas.

Jaspin semblait déçu de cette réponse, mais resta silencieux un instant.

— Et comment l'avez-vous rencontré ? Je veux dire c'est un écrivain pour le moins particulier et…

— Lâchez-le commissaire, c'est un simple signalement, intervint Costal, je sais que vous aimez cet écrivain, mais là vous vous comportez comme un fan hystérique.

Les deux policiers commencèrent à se disputer gentiment sur l'expression « fan hystérique » quand la voiture entra dans la cour du commissariat. Une fois à l'intérieur, Louis resta concentré. Il devait s'en tenir à sa ligne et ne laisser aucun doute sur sa relation avec Paul Beruer. Le bureau du commissaire Jaspin était simple. Presque vide. Il se contentait du minimum, avec un vieux bureau, sur lequel était posé un ordinateur au moins aussi âgé. En face, deux chaises en métal. Les stores de la fenêtre étaient cassés et la poussière s'accumulait sur une armoire entre-ouverte.

Après les questions d'usage, Louis raconta qu'il était un ami de Paul, rencontré lors d'un salon du livre, qu'ils se voyaient de temps en temps. Louis venait voir Paul le matin avant que ce dernier se mette au travail. Ils discutaient le plus souvent de littérature et d'art. Il ne connaissait que vaguement la vie privée de Paul, c'était une amitié littéraire, intellectuelle, c'est ainsi qu'il la présenta au binôme en charge de l'enquête. Jaspin tapa à l'ordinateur, un signalement de disparition inquiétante en bon et due forme, alors que Costal avait pris une chaise pour s'asseoir à côté du commissaire.

— On me dit que les commissaires s'occupent des affaires de disparition maintenant ? Tu n'as rien de mieux à faire Jacques ? Si tu t'ennuies, je vais te trouver du travail moi !

Une armoire à glace venait de débouler dans le bureau. Un homme d'une soixantaine d'années, aux larges épaules et au torse proéminent, se tenait debout derrière Louis, sans même lui prêter attention. Deux larges bretelles bordeaux étaient plaquées contre une chemise blanche. Louis nota le choix de sa cravate, assortie aux bretelles. Mais c'est son épaisse moustache blanche qui dominait ce physique imposant. Elle attirait tous les regards, détournant l'attention de sa calvitie.

— Commandant, commença Jaspin, il s'agit de Paul Beruer, un écrivain connu.

— Je m'en tamponne le coquillard de qui il s'agit, il a juste disparu jusqu'à preuve du contraire. Un simple flic peut suivre le dossier.

— On a des éléments nous laissant à penser qu'il ne s'agit peut-être pas d'une simple disparition, assena Jaspin avec fermeté. Costal le fixa, comme pour lui reprocher son propos.

— Ah bon ?

Louis voyait la moustache du chef s'animer.

— Oui commandant, le voisin a entendu des voix d'hommes hier soir dans son appartement et des bruits dans le couloir.

— Oh oui en effet ça c'est du solide, répondit le supérieur d'un air sarcastique. Costal regrettait que Jaspin ne garde pas ça pour lui. Il voyait bien que leur supérieur les prenait tous deux pour des amateurs incompétents sur ce coup.

— Et ce n'est pas tout, il y a autre chose, continua Jaspin.

— Du solide cette fois, j'espère Jacques.

— On a trouvé dans la poubelle de la cuisine, les restes de ce qui me semble être un jarret de veau trop cuit, sûrement un osso bucco, entier.

Sans avoir montré encore le moindre signe d'attention à la présence de Louis, le commandant laissa s'échapper un rire sonore qui remplit tout le bureau. Tout le commissariat avait dû l'entendre.

— Jacques, on n'ouvre pas une enquête pour un gigot et un voisin qui entend des voix ! Je t'interdis de bosser là-dessus, tu m'entends ? J'ai besoin de toi sur des dossiers autrement plus importants. Laisse tomber ce cas.

Le supérieur sortit en passant sa main sur sa moustache broussailleuse. Jaspin semblait aussi sonné que contrarié. Il y avait à creuser sur cette affaire, il en était certain. Mais faisait-il du zèle parce qu'il appréciait le disparu ? Devait-il donner le dossier à un autre sans autres preuves ? De toute manière, son chef avait choisi pour lui : il avait mieux à faire ailleurs.

— Vous pouvez signer cette déposition, monsieur Armand, demanda Costal en lui tendant un document. Avec la mention *Lu et approuvé*, s'il vous plaît.

Louis s'exécuta et demanda naïvement :

— Qu'est-ce qui se passe ensuite ? Vous ouvrez une enquête ?

Costal grimaça avant de lui répondre :

— Les disparitions c'est toujours difficile, vous savez. Une personne majeure est libre de partir où elle le souhaite. Surtout que là, dans le cas présent, monsieur Beruer a pris des affaires personnelles, son départ semble tout à fait volontaire.

— Si des éléments laissent à penser que la disparition est plus inquiétante, reprit Jaspin, on peut ouvrir une enquête. Cela aboutit rarement. Mais parfois, on les retrouve.

— Merci monsieur Armand, conclut Costal. Vous pouvez y aller, mais prévenez-nous si vous avez des nouvelles de monsieur Beruer. On vous recontacte s'il y a du nouveau de notre côté.

Louis les remercia et sortit du commissariat soulagé. La disparition de Paul Beruer était presque déjà une affaire classée.

Au milieu de la cour du commissariat, une voix héla :

— Attendez ! monsieur Armand ! C'était le commissaire Jacques Jaspin.

— Excusez-moi une dernière chose, reprit Jaspin, légèrement essoufflé en approchant de Louis, vous ne lui connaissez pas de la famille que l'on pourrait contacter ?

— Non, je ne connais pas d'autres membres de sa famille, vous savez, on parle peu de nos vies personnelles.

— Très bien, merci monsieur Armand, bonne journée à vous.

Louis disparut quelques instants plus tard dans la rue, mais Jaspin resta au milieu de la cour à fixer le sol.

Chapitre 6

En rentrant chez lui, Louis ne pensait plus qu'à une seule chose. Écrire. Écrire pour avancer, et oublier. Paul Beruer était derrière lui. Il était son passé et ses tourments. Louis venait de s'en libérer. Il alluma son ordinateur et commença à taper sur son clavier de plus en plus vite. Nul besoin de réfléchir, tout était prêt. Louis sentait qu'il avait tout cela en lui. Il fallait que ça sorte. Il se devait de donner au monde son grand roman. Tout était clair dans sa tête, il n'était plus temps de penser, mais bien d'écrire. Écrire son histoire, celle qui était là depuis toujours et qui devait prendre fin sur papier. Les mots s'envolaient, son clavier s'usait à coups de frappes rapprochées de ses doigts agiles. Louis était tel un pianiste, les yeux rivés sur son instrument, laissant tout son corps agir pour laisser entendre sa musique. À peine terminait-il une phrase que la suivante était prête, ciselé par son esprit, alors il redoublait d'efforts pour taper au rythme de ses pensées. Le curseur de son traitement de texte n'avait plus le temps de clignoter pour marquer des temps de pause. Tout n'était plus que des mots noirs s'alignant sur un fond blanc. Il venait de trouver ce qui lui manquait. Ce que Paul Beruer lui avait volé au cours de ces années d'asservissement créatif. Écrire pour soi, pour se sentir libre. Parce que l'on a envie d'écrire parce qu'on le peut, parce qu'on le doit. Nous avons besoin de lire pour voir d'autres mondes, d'autres réalités, pour supporter la nôtre ou du moins mieux la vivre. Nous nous le devons à nous-mêmes. Et certains d'entre nous sacrifient leur temps à des histoires qui valent la peine d'être lues. Ils se saignent à coups de longues heures épuisantes à rendre vivants de simples mots. L'écriture est leur exutoire et leur supplice. Ces gens-là sont un peu fous. Ces gens-là aiment cette folie. Ces gens-là sont des écrivains. Louis Armand en est un. Il le sait. Il l'a toujours su. On lui a volé ses succès, il allait retrouver ce qu'on lui avait pris, il allait se faire justice lui-même. Il était Paul Beruer. L'admirateur, c'était lui. À lui d'être admiré désormais.

Louis Armand resta assis devant son ordinateur des heures durant. Le temps n'avait alors plus de prises ni sur lui ni sur son travail. Mais alors, quel était le sujet de ce roman ? On ne raconte jamais autre chose que soi-même. Louis y mettait tout son cœur. Il écrivait enfin en toute sincérité. C'était cela qui lui avait toujours manqué. Tout était clair à présent. Ses premiers écrits n'étaient que de pâles tentatives de copier le style d'autres écrivains. Avec Beruer, il travaillait pour un autre écrivain. Toute sa vie durant, il avait écrit, mais jamais pour lui, jamais en osant y mettre tout ce qu'il avait en lui. Il lui avait toujours manqué cette force qui vous pousse à être vous-même. Ce livre était sa révélation. Le moment où tout devenait clair. Celui qui change une vie à tout jamais.

Le soleil se couchait désormais sans que Louis ne s'en aperçoive. Il n'y avait que lui et son roman. Plus rien d'autre ne comptait. Il ne ressentait aucune fatigue. Son esprit était tout entier consacré à ce roman, l'œuvre de sa vie. Louis ne remarqua pas l'entrée de Sophie, les bras chargés de sacs de courses. Il était absorbé par son travail, le regard vissé sur son écran. Elle l'embrassa tendrement sur le front, mais il ne bougea pas. En rangeant les courses, elle lui demanda :

— Comment cela s'est passé avec Paul aujourd'hui ?

Il devait dès maintenant lui dire la vérité. Comment lui mentir à nouveau ? Déjà ce matin, il avait dû inventer une histoire cousue de fil blanc, c'était impossible de continuer sur cette voie. Comment croire que Paul Beruer avait annulé au dernier moment leur dîner ? Non, Paul était trop organisé et minutieux pour ce genre de contretemps. Ça sonnait faux, et Louis le savait. Sophie partageait sa vie. Elle représentait tant pour lui. Il ne pouvait plus lui mentir. Mentir à la police c'était une chose, mais à celle qui partage sa vie, celle qui était son premier soutien, comment ne pas lui dire ? Elle avait le droit de savoir. Elle l'aimait, elle comprendrait. C'était à lui de lui apprendre. Il prit une profonde respiration, lâcha son ordinateur des yeux, et se tourna vers elle.

— Paul a disparu.

— Disparu ? Comment ça ? s'étonna Sophie.

— Oui, disparu. Ce matin, je suis allé chez lui, la police était là, il avait disparu. La femme de ménage s'est inquiétée qu'il ne lui ouvre pas. J'ai suivi les policiers au commissariat pour signaler officiellement sa disparition. Je pense que c'est pour ça qu'il a annulé notre dîner d'hier soir ; il devait être sur le départ.

— Je ne comprends pas, il t'avait parlé de ce départ ?

Sophie était abasourdie. Comment pouvait-il simplement partir sans en parler à Louis ?

— Non, jamais. Tu sais c'est quelqu'un de très secret. Je pense qu'il a besoin de temps pour réfléchir, et peut-être que tout ce bruit médiatique autour de lui était devenu trop pressant. On aura sûrement très vite de ses nouvelles, je ne m'inquiète pas plus que cela à vrai dire. La police non plus d'ailleurs, ils ne comptent pas ouvrir d'enquête.

Sophie n'en revenait pas du culot de Paul Beruer. Elle trouvait son départ plus que précipité vraiment égoïste. Il écrivait depuis si longtemps avec Louis, il méritait au moins d'être tenu au courant de ce genre de départ. Au contraire, elle trouvait Louis très sage de réagir avec temps de tempérance. Après tout, il avait sûrement raison, Paul allait sûrement donner de ses nouvelles sous peu.

— Tu sais, reprit Louis, cette disparition n'est peut-être pas une si mauvaise chose. Cela m'a ouvert les yeux. Je dois arrêter de vivre pour lui, j'ai besoin de me recentrer sur moi. C'était sans doute le déclic dont j'avais besoin. J'ai décidé de commencer un roman, et de le faire publier sous mon nom.

Elle le voyait épanoui. Son sourire n'avait jamais été aussi sincère. Elle avait l'impression de découvrir une nouvelle facette de celui qu'elle aimait. Un Louis confiant. Ce Louis lui plaisait déjà.

— J'aurai le droit de jeter un œil à ce que tu écris ? sourit-elle.

— C'est loin d'être fini tu sais, je commence à peine. Mais je t'en dirais plus, dans quelque temps, peut-être, répondit Louis, comme s'il s'agissait d'un secret de la plus haute importance.

Louis ne pensait plus qu'à son roman. C'était devenu, en quelques heures seulement, une obsession, la seule boussole qu'il acceptait de suivre. Lors du dîner, Sophie lui raconta sa journée, mais il n'écoutait pas vraiment. Elle voyait bien son regard fixe et son air ahuri. Par chance, Louis avait une compagne remarquable. Sophie lui passait ses manques d'attention. Elle le voyait heureux. Plus de ressentiment ou d'amertume. Louis était désormais pleinement enthousiasmé par ce nouvel élan créatif, et elle était déjà impatiente de le lire. Bien sûr, il lui avait fait lire ses premiers romans. Jamais publiés. Et elle comprenait pourquoi. Sophie les trouvait fades. On sentait une volonté de bien faire, de s'appliquer à bien écrire, mais les histoires qu'il nous donnait à voir ne nous emportaient pas avec lui. Mais cette fois, Louis semblait tellement pris par ce roman, elle ne doutait pas un instant que ce put être mauvais. Sophie était restée une lectrice fidèle de Beruer. Surtout depuis que celui qui partage sa vie en était l'un des auteurs. Elle admirait le travail de Louis et adorait par-dessus tout en discuter avec lui. À chaque nouveau livre, ils allaient ensemble l'acheter à la librairie de leur quartier. Cela les amusait beaucoup. Ils avaient l'impression de revivre leur rencontre, dans une librairie, autour d'un Beruer.

Louis écrivit à nouveau le soir et une bonne partie de la nuit. Sophie alla se coucher sans qu'il s'en aperçoive. Il avançait toujours aussi vite, essayant sans cesse d'écrire au rythme de ses idées. Comment s'arrêter quand on sait que ce que l'on écrit va changer sa vie ? Il le savait. Il n'en doutait plus. Ce roman serait son chef-d'œuvre, il ne pouvait en être autrement. Être enfin un écrivain reconnu. Mais pour cela, il fallait être publié. Ses nombreuses tentatives dans ce domaine avaient toujours été infructueuses. Des images lui revenaient en tête, ses espoirs d'être publié, les manuscrits envoyés aux maisons d'édition, et les lettres de refus qui s'accumulaient. Pire que cela, les silences des éditeurs. Ne pas savoir si son manuscrit a été seulement lu. Louis était-il prêt à revivre ces rejets ? Il n'a jamais été publié sous son nom. Les éditeurs allaient le traiter comme un tout jeune écrivain essayant de publier son premier roman. Mais cela n'était pas Louis Armand. Louis Armand c'était un livre publié par an, et un best-seller à coup sûr. Louis Armand c'était *L'admirateur*. Prix Renaudot. Louis Armand c'était Paul Beruer. Pourquoi devrait-il être traité comme un tout jeune auteur sans aucun succès à présenter ? C'était tout à fait injuste. Les derniers Beruer étaient les siens, il devait être vu et traité comme tel. Un écrivain reconnu. Louis s'arrêta d'écrire. Il réfléchit longuement à ce problème d'édition. Comme souvent, les solutions existent et se trouvent devant nous. Au milieu de la nuit, Louis se décida. Il avait à nouveau besoin de Paul Beruer, pour avoir une chance d'être publié. Louis prit une feuille et commença à écrire :

Mon cher François, mon bon ami,

Je prends quelque temps de repos loin de toute cette agitation. J'ai besoin de temps pour me ressourcer, et me remettre à écrire. Je sais que tu comprendras. Mais je t'écris pour tout autre chose.

Tu vas recevoir prochainement mon bon ami, un manuscrit d'un de mes proches qui m'est très cher. Louis Armand. Il est jeune et talentueux. Je sais que tu sauras l'accueillir avec la même bienveillance dont tu as su faire preuve à mes débuts. Je le connais depuis bien longtemps désormais et il tient cette fois un grand roman. Plus grand que tout ce que j'ai pu écrire. L'histoire te semblera peut-être déroutante, voire incongrue. Mais je te demande de publier tel quel ce manuscrit. Ne te laisse pas décourager par le début. Tu comprendras à la fin.

Au plaisir de te revoir très vite mon cher ami et en te remerciant grandement pour l'aide que tu pourras apporter à mon ami Louis.

Paul Beruer

Après tant d'années de travail en commun, l'écriture de Louis s'était naturellement rapprochée de celle de Paul. Pour finir par ressembler à ces ridicules petites lettres, toutes de même taille. Il savait depuis longtemps écrire parfaitement comme lui, et de plus en plus régulièrement il le faisait sans s'en rendre compte. Louis relut cette courte lettre avec attention. Puis il se plongea à nouveau dans son roman comme un acharné. Et ce jusqu'aux premières heures du jour. Ses phalanges étaient toutes ankylosées, et son dos, depuis trop longtemps courbé sur son ordinateur, lui faisait atrocement mal.

***

Dans l'après-midi, un bruit imperceptible se répandait dans tout Paris. Un bruit sourd à peine audible et pourtant si sonore. Un bruit qui résonna dans les salles de rédaction. Il est bien rare que la disparition mystérieuse d'une personnalité aussi populaire ne fasse pas le tour de l'actualité. L'agitation était palpable et la rumeur plus pressante encore. La rédaction du journal *Le Monde* fut la première à écrire un article sur cette disparition :

Disparition de l'écrivain Paul Beruer

Laconique, factuel. On ne prend pas de risques quand on est un média de référence. Le reste de l'article était tout aussi prudent :

L'auteur de L'admirateur (Prix Renaudot) a disparu sans laisser de traces. La police est intervenue à son domicile suite aux inquiétudes de ses proches. Un signalement pour disparition inquiétante vient d'être déposé, mais les forces de l'ordre ne comptent pas, à ce stade, ouvrir d'enquête. Paul Beruer, réputé pour sa grande discrétion auprès des médias, est également peu sociable. « Il ne doit pas avoir plus de trois amis », nous confie sa femme de ménage, « mais je pense que monsieur Beruer m'aurait prévenu s'il souhaitait partir en vacances, au moins pour que je ne vienne pas pour rien chez lui. ».

Puis ce fut au tour du journal *Le Parisien* de couvrir cette actualité, en titrant :

Le mystérieux écrivain Paul Beruer a disparu

L'article reprenait l'article du Monde en accentuant le caractère discret du disparu. Dans les heures qui suivirent, l'ensemble des principaux médias avaient publié leurs propres articles sur le sujet. Déjà, une dizaine de caméras étaient venues tourner des plans de coupes au pied de l'immeuble de Paul et devant le commissariat. Pour illustrer le visage de l'écrivain, ils reprirent tous des images de Paul Beruer à la remise de son Renaudot. Impossible de trouver des photographies plus récentes. Sa barbe blanche et ses lunettes rondes tournaient en boucle sur l'ensemble des chaînes d'information en continu.

Le soir, les journaux télévisés reprenaient ces mêmes images, et désormais tout le monde était au courant de cette disparition. Pourtant, les journalistes étaient presque frustrés par cette actualité. Ils n'avaient en réalité rien à en dire. Oui, il avait disparu. Et ? Et rien. La police en restait là. Après tout, cela ne faisait qu'une paire d'heures que sa disparition était jugée inquiétante. Aucun indice, aucune information nouvelle ne permettait d'apporter d'éléments supplémentaires à cette affaire. La seule et unique raison expliquant l'engouement médiatique de cette nouvelle était son personnage central. Paul Beruer. Tout le monde aimait les mystères, et cet écrivain en était un à lui tout seul. On connaissait ses livres et ses succès littéraires, mais le grand public ignorait tout de Paul Beruer. Cette étrange disparition n'était qu'une nouvelle pièce du puzzle de l'énigme Beruer.

***

Le commissaire Jacques Jaspin adorait les énigmes. Mais il aimait avant tout les résoudre. Pourquoi serait-il parti ? Aussi précipitamment ? Et les poubelles ? Et l'autre homme entendu par le voisin ? Trop de questions sans réponses. Le monde s'agitait autour de lui, ses collègues passaient devant lui, mais rien ne perturbait son regard fixe sur l'écran noir de son ordinateur. Il passa les trois jours suivants à ruminer cette affaire. Sarah, une collègue d'une quarantaine d'années, lui apportait le café le matin. Cela faisait plus de vingt ans qu'elle connaissait le commissaire. Quand il bloquait sur une enquête, il pouvait rester ainsi un long moment.

Le commandant lui avait bien dit de mener d'autres enquêtes, mais rien à faire. Il devait comprendre. Trois jours passèrent avant qu'il ne se décide à sortir de son fauteuil. Jaspin prit alors sa veste en cuir et sortit du commissariat :

— Vous allez où commissaire ? demanda Costal.

— À la pharmacie, j'ai un mal de crâne, répondit sèchement Jaspin sans le regarder.

Dehors, Jaspin repensa aux éléments de l'appartement. La cuisine bien trop propre. L'armoire vidée. Et ces deux bureaux encombrés. Des bureaux pleins de documents. Il se souvient avoir vu, parmi ces derniers, le logo d'une banque. Ces formidables institutions sont fort appréciées par le commissaire Jaspin. D'une part, ces établissements sont systématiquement équipés de caméras bien utiles. Mais plus que cela, elles ont tendance à suivre et recenser scrupuleusement les actions et autres mouvements financiers de leurs clients. Autant de traces et d'indices que beaucoup de coupables oublient lors de leur fuite. Cette technique de comptable minutieux s'était souvent montrée très efficace, permettant de faire tomber les plus grands. À commencer par l'homme à la joue défigurée par une horrible cicatrice. Al Capone.

Bien sûr, tout le monde connaît l'inspecteur Eliot Ness, ce jeune homme d'à peine trente ans, séduisant, athlétique, intelligent et incorruptible. Lui et ses hommes ont conduit un grand nombre d'actions afin de désorganiser les activités criminelles d'Al Capone à Chicago, dans les années 1930, détruisant ses brasseries clandestines, et réunissant des preuves pour le faire condamner. Les descentes étaient partout et les arrestations s'enchaînaient. Alors, un notable de Chicago vient s'entretenir avec Ness. En partant, il laissa malencontreusement tomber de son manteau une liasse de billets sur le bureau. 2 000 dollars. Plusieurs mois de salaire pour un inspecteur de police. Eliot Ness refusa l'offre et contacta les journaux pour que tout Chicago sache que ni lui ni ses agents ne se laisseront acheter. L'opinion publique se retourna contre Capone : il y avait enfin quelqu'un de courageux pour lui faire face. Mais ce n'est pas cette démonstration de force qui fit chuter le mafieux. Aucune preuve solide désignant Capone comme chef mafieux ne fut trouvée. Aucun de ses hommes ne parla. Tout le monde couvrait Capone. Tout Chicago était pourri par son argent sale.

Dans le même temps, une action clandestine fut confiée au très discret agent spécial du service d'enquête du fisc fédéral Frank J. Wilson. Il devait prouver qu'Al Capone n'avait jamais payé d'impôts. Il éplucha les livres de comptes saisis lors des perquisitions de l'équipe de Ness, et prouva qu'une partie de l'argent allait directement dans les poches de Capone. Après trois ans d'enquêtes, il rédigea un rapport de soixante pages dans lequel il écrivit : *Les revenus du contribuable provenaient du jeu, de la prostitution et de la contrebande d'alcool. Le prévenu n'avait aucun compte bancaire, n'achetait aucune propriété en son nom propre et traitait toutes ses affaires en espèces.* En 1931, Al Capone est inculpé pour fraude fiscale. Le juge Wilkerson le condamna à 17 années de prison dont 11 ans ferme et 50 000 dollars d'amende.

Mais Jaspin préférait une autre histoire d'argent sale. Une histoire qui prouve que même si l'on est le plus grand faussaire de l'histoire, on vous retrouve en suivant votre argent. Frank William Abagnale Jr n'avait pas encore seize ans quand il persuada son père de lui prêter sa carte de crédit, après l'achat d'une voiture. Avec cette carte, il simula l'achat d'une grande quantité de pneus, de batteries, et de tout un tas d'objets de mécanique automobile. Ces achats n'ont en fait existé que sur le papier. Il s'était mis d'accord avec un employé du garage. Ce dernier mettait les pièces au compte du père, retirait l'argent et le partageait avec l'adolescent. Abagnale Sr s'étouffa quelques jours plus tard en découvrant ses factures par courrier. Dans les années 1960, il utilisait de faux chèques afin de voyager aux frais de la compagnie américaine Pan American Airways. Il se déplaça ainsi à travers une vingtaine de pays, sous huit identités différentes, et dépensa plus de 2,5 millions de dollars. Abagnale prétendait simplement être un pilote en transit. Il voyageait ainsi gratuitement et était même logé dans des hôtels de luxe : tout était mis sur le compte de la compagnie. Puis il devint tour à tour pédiatre et avocat. Ou plutôt, il faisait semblant de l'être avant de se presser de changer d'identité dès les premières suspicions autour de lui. Recherché dans une vingtaine de pays, Frank Abagnale Jr fut finalement arrêté en France. Le faussaire réussit un dernier coup de maître en négociant sa peine avec le FBI. Il devint consultant en sécurité bancaire et contribua à rendre ses anciennes pratiques obsolètes.

C'était le genre d'histoire qu'adorait le commissaire Jacques Jaspin. Le genre d'enquêtes dont il rêvait. C'était aussi ce que Paul Beruer aurait pu écrire. Au début de sa carrière, le commissaire Jaspin aurait adoré pister les relevés bancaires. Tout le monde a des choses à cacher avec son argent. Que l'on en ait ou pas. On peut connaître toute la vie de quelqu'un rien qu'en épluchant ses revenus et ses dépenses. En quelques minutes, un employé de la banque, aussi jeune que sympathique, lui donna accès aux derniers relevés bancaires de Paul Beruer. Qu'espérait-il voir dans ses comptes ? Jaspin pensait que Beruer était visiblement parti avec ses affaires, peut être des valises pleines et encombrantes, alors peut-être une note de taxi ? Un billet de train ? Ou d'avion ?

Jaspin tourna les pages de ce relevé à la recherche d'indices. Rien. Il tournait les pages du relevé, encore et encore, revenant à la page précédente pour vérifier qui rien ne lui avait échappé. Les dépenses de Paul Beruer étaient d'une banalité affligeante. Pas de superflu, rien de valeur. Cet homme vivait le plus simplement possible. Là, il trouva les frais de ménage, ici la note d'un café en bas de chez lui. Beruer vivait vraisemblablement en dessous de ses moyens. La vente de ces livres lui rapportait de quoi vivre de manière bien plus confortable. Paul Beruer n'avait effectué aucune dépense ces trois derniers jours. Mais à force de retourner les feuilles dans tous les sens, l'œil du commissaire Jaspin fut attiré par quelque chose.

***

Durant les trois derniers jours, Louis n'avait pris que deux repas. Il disait à Sophie, ne pas avoir faim. Il était complètement pris par son travail. Le jour, la nuit, la faim ou la fatigue n'avaient plus d'importance à ses yeux. Écrire, voilà tout ce qui comptait. Son roman avançait à une vitesse folle.

Les mots, les phrases venaient d'eux-mêmes, tout était simple. Louis n'avait même pas préparé de plan ou même de structure à son roman, il écrivait et les chapitres se dessinaient d'eux-mêmes. Après avoir écrit jusqu'aux premières lueurs du jour, il alla se coucher quand Sophie se réveilla. Dans son sommeil, les personnages de son récit se mêlaient à la voix de Paul et au regard de Jaspin. Il lui semblait vivre ses visions nocturnes dans un état second, spectateur de tout ce monde gravitant autour de lui et de son travail. Tout se mêlait, plus rien n'était clair, le réel et son imaginaire se mêlaient dans une symphonie aussi charmante que dangereuse. Il se réveilla, le souffle court et la gorge sèche. Il avait dormi à peine quelques heures. Sophie était partie travailler et lui avait laissé un post-it sur le frigo : *Pense à sortir t'aérer un peu, je t'aime.* Après un verre de jus d'orange bien frais, Paul ouvrit son ordinateur. Sur son bureau, un document, un traitement de texte, une lettre de Paul Beruer à son éditeur. Louis se revoit cette nuit, écrire ces quelques mots, comme Paul l'aurait fait. À nouveau écrire pour lui. Il se devait d'avancer sur son roman, pour s'en libérer et écrire enfin pour lui. Mais après quelques minutes de relecture de son travail nocturne, son téléphone vibra. Un numéro inconnu, un téléphone fixe.

— Oui, allô ?

— Oui monsieur Armand ? s'exclama une voix fatiguée, mais puissante. C'est le commissaire Jaspin à l'appareil, en charge de l'enquête sur la disparition de monsieur Beruer.

Louis était surpris. Jaspin le voyait-il comme un suspect ?

— Oui, commissaire ? Vous avez du nouveau ?

— Oui en effet, et j'aimerai en discuter avec vous si ça ne vous dérange pas. Vous pouvez passer au commissariat dans l'après-midi ?

L'invitation ne le réjouissait pas, mais il devait se montrer parfaitement insoupçonnable. Il accepta avec un tremblement dans la voix.

Jaspin était donc toujours sur une enquête plus que minutieuse sur la disparition de Paul. Une enquête qui ne le mènerait à rien. Louis en était convaincu, aucun élément, aucune preuve ne pouvait l'inculper de ce meurtre. Il ne passerait jamais une nuit derrière les barreaux pour le meurtre de Paul Beruer. Un meurtre qui n'était finalement que l'expression de sa liberté, se répétait-il. Sa mort n'était pas préméditée. Aujourd'hui, il était libre. Libre d'être enfin lui-même, il pouvait clore sa vie de nègre littéraire, et commencer celle d'écrivain. Seul cet obstiné de commissaire l'empêchait de se concentrer pleinement sur son avenir radieux. Que lui voulait-il ? Même son supérieur lui avait demandé de laisser tomber cette enquête. Impossible pour Louis de se pencher à nouveau sur son travail. Il alla sur internet pour se changer les idées. Partout sur les réseaux sociaux, un sujet revenait : la disparition de Paul Beruer. L'information était publique. Elle était partout dans l'actualité. Même mort, Paul Beruer était en haut de l'affiche, le sujet de toutes les attentions. Louis ferma son ordinateur d'un geste brusque, ce qui fit se soulever une pile de papier. Il se rendit dans la salle de bain pour prendre une douche. Il avait besoin de réfléchir avec calme et sang-froid. Il devait préparer sa confrontation avec un commissaire de police.

***

Louis s'installa dans le bureau de Jaspin. Il ne pensait à rien. Il fixait le sol d'un regard serein. Jaspin arriva un café à la main.

— Monsieur Armand, bonjour, excusez mon retard. Louis remarqua une tache jaunâtre sur le col de la chemise du commissaire. Peut-être de la vinaigrette séchée ou bien un trait de moutarde.

— Vous allez bien ?

— Oui commissaire et j'ai de bonnes nouvelles, répondit Louis d'un sourire charmeur. Jaspin était surpris. Il pensait être celui qui allait apporter des nouvelles dans cet échange. Et pas forcément des bonnes pour Louis.

— J'ai reçu une lettre de Paul, peu après votre appel de ce matin.

— Une lettre ? Jaspin était intrigué. Les traits de son visage s'étaient crispés, il s'était penché en avant.

— Oui, regardez commissaire, continua Louis en lui tendant une enveloppe décachetée. Jaspin la saisit, et remarqua le timbre. Un timbre loin d'être banal. Un paysage de montagne se perdait dans un fond bleu pâle. Sur la partie inférieure du timbre, une inscription : *Cerro Mercedario.*

L'enveloppe ouverte contenait une lettre. Jaspin reconnut tout de suite le papier. Du papier bible. Il commença à lire :

Mon cher Paul,

Je suis sincèrement désolé d'être parti aussi précipitamment, sans même t'avoir prévenu. Cela m'a pris d'un coup, en un instant tout me parut évident. Je n'étais pas obligé de rester à Paris à subir cette pression. J'écris parce que j'aime écrire et que cela fait partie de moi, mais ces derniers temps j'écrivais parce qu'il le fallait, pour sortir le nouveau Beruer tant attendu. J'ai besoin de me concentrer à nouveau sur moi. De calme et de distance. J'ai trouvé tout cela en Argentine, dans un quartier calme de Buenos Aires. Prenons cela comme des congés. Je sais que tu comprendras.

Je te donnerai plus de nouvelles une fois mieux installé. Tu pourras alors me rejoindre, cette ville te plairait ! J'ai déjà beaucoup trop d'idées à coucher sur le papier.

Je t'embrasse,

Paul Beruer

— J'ai reçu cette lettre ce midi, peu après votre appel. Je vous avoue que je ne comprends toujours pas son départ si précipité commissaire.

Jaspin relut avec attention chaque phrase à la recherche d'un élément qui lui aurait échappé. En Argentine ? Que faisait-il en Argentine ? Il serait parti pour retrouver un peu de calme ? Pourquoi partir si loin ? Jaspin était perdu. Louis voyait bien la stupéfaction dans son regard vide et lointain. Il avait pris de court le commissaire, avec ce nouvel élément. La sidération du commissaire traduisait bien qu'avant de lire cette lettre il ne croyait pas à la thèse du départ volontaire. Mais désormais, il était bien obligé d'apporter un certain crédit à cette piste.

— Vous vouliez me voir pour autre chose commissaire ? lança Louis comme pour ramener Jaspin à l'objet de cette entrevue.

— Oui, dites-moi monsieur Armand, je suis passé hier à la banque, et il y a quelque chose que je ne comprends pas.

Le visage de Louis resta impassible.

— Vous allez rire, reprit-il, mais j'ai trouvé des transactions, pour le moins, curieuses, entre monsieur Beruer et vous-même.

Le souffle de Louis s'accéléra. Il savait ce que Jaspin avait trouvé.

— Tenez, regardez, lança le commissaire en lui tendant une feuille de papier, vous voyez dans cette colonne il y a les dépenses de monsieur Beruer, rien d'extravagant, il vit d'une manière tout à fait respectable, voire très humble si on considère les importants revenus qu'il tire de ses livres à succès. Cependant, de façon systématique, il vous verse plusieurs milliers d'euros chaque mois. Là, vous voyez, c'est votre nom, pointa Jaspin de son doigt boudiné.

Tout était foutu. Louis s'était penché pour mieux y lire son nom. Mais il lui semblait se courber comme pour attendre la lame froide et mortelle de la hache du bourreau sur sa nuque. Il avait pensé à tout. Tout. Une scène de crime propre, pas de corps, une disparition crédible. Un commissaire qui s'amuse à creuser une enquête qui ne devrait pas exister, et tout s'effondre. La gorge nouée, Louis se rendit à l'évidence, il ne lui restait plus qu'une seule option. Avouer. Avouer son plus grand secret. Celui qui avait changé sa vie à jamais.

— D'une certaine manière commissaire, je suis Paul Beruer.

— Je vous demande pardon ?

— Cet argent, c'est le mien. Nous avons un accord, assena Louis.

— Cocaïne, c'est ça ?

Le commissaire avait tout vu dans sa carrière. Des magouilles de petits voyous, au grand banditisme, en passant par des réseaux de trafic de stupéfiants et de prostitution. Il voyait mal quel genre d'accord pouvait avoir un célèbre écrivain. Puis il pensa à un reportage qu'il avait vu quelques jours auparavant, tard le soir, sur une chaîne du câble. Et tout devient évident. C'était un obscur documentaire sur les liens entre usage de drogue et développement de la créativité. Au milieu des images d'archives et des entretiens de médecins et sociologues, plusieurs exemples d'écrivains ayant eu des expériences nombreuses et variées avec des substances aussi puissantes qu'illégales. Sartre en amateur de mescaline, un produit hautement hallucinogène, ne rivalisait pas avec l'addiction de Nabokov à la morphine. Et ces deux-là étaient des petits joueurs face au spleen baudelairien entretenu à l'opium, à l'absinthe et au haschich. Il était désormais évident que sous ces airs de gendre idéal, le jeune Louis Armand gagnait sa vie en arrosant le Paris littéraire en drogue.

— Pardon commissaire ? s'étonna Louis.

— Vous lui vendez de la cocaïne c'est ça ? Vous êtes son dealer, pas vrai ?

— Absolument pas commissaire, Paul ne touche pas à ça ! Et moi non plus d'ailleurs !

— Alors en quoi consiste votre accord exactement ? demanda sèchement Jaspin, essayant de garder son calme. Louis prit une grande inspiration, et avoua tout en baissant honteusement son regard :

— Je suis son nègre littéraire. On écrit à quatre mains.

Un silence s'installa dans le bureau du commissaire. Son regard était comme figé sur cette personne qui venait de briser toute la magie entourant Beruer. Ce grand écrivain aux intrigues enivrantes n'était en réalité qu'une moitié de lui-même. Ou plutôt fallait-il concevoir Paul Beruer comme le mariage littéraire de deux esprits ?

Finalement, ce fut Louis qui brisa ce long silence pesant.

— Nous avons commencé à travailler il y a quelques années, alors qu'il était en perte de vitesse. Bien sûr, il avait toujours ce don de l'écriture qui vous tient en haleine, ce style qui lui est si personnel, mais il lui manquait une chose que chaque écrivain redoute de perdre. L'inspiration. Je suis en quelque sorte venu l'aider au début sur ce point. J'apportais des idées fraîches, de la nouveauté, et nous travaillons ensuite à deux. Souvent, c'est de moi que tout part ; les premières idées, les ébauches de l'intrigue et des personnages. Paul les assemble ensuite de manière harmonieuse pour donner corps à une histoire. Le voir lier ces premiers éléments stimule ma créativité et le récit évolue dans cet échange constant entre nous deux. Pour finir, cela aboutit à un roman où l'on ne sait plus qui est le père de telle phrase ou de telle idée.

— Si je comprends bien, monsieur Beruer reçoit l'argent des ventes de ses livres, de vos livres, pardon, et vous en donne une part ? demanda Jaspin, curieux de tout savoir sur ce secret.

— La moitié. C'est notre accord. Et ce depuis le début, depuis *L'admirateur*.

À l'évocation de ce titre, le visage de Jaspin se crispa. C'était son Beruer préféré. Comment concevoir que ce roman qu'il connaissait par cœur et l'avait privé de nuits de sommeil était en réalité un « Beruer-Armand » ? Dans le même temps, Jaspin pensait à sa chance d'être avec celui qui peut-être était le plus proche de Beruer. Celui qui d'une certaine manière, était Beruer.

— D'où les deux bureaux, assena Jaspin d'un ton neutre.

— Pardon commissaire ? Louis était spectateur de la brillante réflexion de Jaspin, assemblant chaque pièce du puzzle.

— Au domicile de monsieur Beruer, il y a deux bureaux dans le salon, qui se font face. C'est là que vous travaillez. Qui est au courant de votre arrangement ?

— Personne, répondit Louis sans broncher.

C'était un mensonge. Sophie était au courant.

— Cette « collaboration », monsieur Armand, y a-t-il eu des tensions entre vous ?

— Des tensions ?

— Oui des échanges houleux entre vous, des divergences.

— Commissaire, oui bien sûr, il nous arrivait très souvent de ne pas être d'accord dans le cadre de notre travail. Mais cela fait partie de l'écriture. Je dirai même que c'est sain de se confronter à un contradicteur. Mais tout cela restait dans le cadre professionnel,

— Et, vous a-t-il déjà fait part de ses envies de voyage, de départ soudain ?

— Paul avait du mal à gérer sa notoriété, il ne sortait presque jamais de chez lui. Il avait déjà vaguement envisagé de partir quelque temps, des vacances peut-être, mais cela restait un projet vague. Je pensais qu'il m'en parlerait de vive voix s'il voulait vraiment partir, et non pas via une lettre envoyée après son départ. Jaspin voyait bien que le départ précipité de Paul Beruer peinait Louis Armand comme un ami qui n'était pas dans la confidence. Les deux hommes, liés par le travail, semblaient proches, comme l'écriture peut le permettre.

— Lui connaissez-vous des ennemis ? Des personnes le menaçant pour une quelconque raison, ou des fans envahissants ?

— Non, pas vraiment, il y a toujours des personnes en demande d'attention de la part de leur écrivain préféré, mais jamais au point d'être la cause d'un tel départ.

Il ne restait plus qu'à clore le dossier. Paul Beruer avait simplement pris des vacances, sur un coup de tête. Bien que cela ne soit pas dans ses habitudes, il n'y avait rien d'illégal. Lui revenait en tête la viande dans la poubelle. Comme son chef lui avait dit, cela ne constitue rien d'autre qu'un fait anecdotique. La cuisine étincelante de propreté ? Paul Beruer est une personne maniaque passant le plus clair de son temps dans cet appartement qu'il aime propre et rangé. L'absence de dépenses depuis la date de son départ sur son relevé bancaire ? Il peut avoir payé en espèces ou même avoir d'autres comptes dans d'autres offices bancaires. Ces petites curiosités n'étaient pas assez solides et il le savait. Le commissaire Jaspin détestait ces affaires ou tout n'était pas éclairci, malheureusement il ne pouvait pas poursuivre une enquête sur des bases aussi fragiles. Il retirait tout de même une satisfaction d'être en face de celui qui aidait Beruer à écrire. Quelle histoire ! Jaspin prenait sur lui pour ne pas lui poser tout un tas de questions sur les livres de Beruer. Qui aurait cru que le grand Beruer était en réalité le fruit d'une solide collaboration de deux personnes si différentes ?

Jaspin fit signer à Louis sa déposition. Jaspin se figea :

— C'est drôle vous avez la même écriture serrée que monsieur Beruer. Et Louis de répondre sereinement :

— Oui, vous savez, à travailler depuis longtemps avec quelqu'un on finit par prendre ses petites habitudes. Pour tout vous dire commissaire, il m'arrive parfois de signer des dédicaces à sa place. Cela va plus vite à deux.

Jaspin lui rendit son sourire, et Louis finit par lui demander sur le ton de la confidence :

— Commissaire, est-ce que ce petit secret sera dévoilé avec cette enquête ?

— Nous sommes soumis au secret professionnel, monsieur Armand, soyez sans craintes à ce sujet.

Jaspin était aussi choqué qu'heureux d'être le seul à connaître ce secret. Louis Armand le remercia chaleureusement, et quitta le commissariat plus rassuré que jamais.

Le commissaire fixa le plafond décrépi de son bureau de longues minutes après son départ. Puis il prit la lettre de Paul Beruer. Les lettres se collaient les unes autres jusqu'à se mêler parfois. On ne devinait que les mots en les lisant de manière globale. Il observa avec attention l'enveloppe. Elle avait été envoyée le lendemain de la disparition de Beruer. Un tampon sur le timbre indiquait sa provenance : *Argentina*.

Le commissaire chercha sur internet ce que signifiait l'inscription sur le timbre représentant des montagnes : *Cerro Mercedario*.

Le Cerro Mercedario, en Argentine, est le plus haut sommet de la cordillère de la Ramada et le huitième sommet le plus haut des Andes. Il est situé à une centaine de kilomètres au nord de l'Aconcagua, dans la province de San Juan, et à douze kilomètres à l'est de la frontière chilienne.

Louis ne pouvait pas avoir écrit cette lettre. Comment pouvait-il écrire une lettre, et la faire expédier d'Argentine en si peu de temps ? Avec l'aide d'un complice ? Il aurait donc prémédité la disparition de Beruer depuis longtemps, se servant de son écriture identique à l'écrivain ? Jaspin sentait de lui-même qu'il s'égarait sur des conjectures hasardeuses. Tout cela sur la seule curiosité de deux écritures semblables, de deux personnes travaillant ensemble depuis des années. Après tout, il n'avait aucune raison d'incriminer Louis Armand.

Chapitre 7

L'air était toujours glacial dans ce long corridor mal éclairé. La peinture au mur s'effritait laissant découvrir la succession de couleurs précédentes, comme autant de strates témoignant des multiples tentatives de décoration.

L'éclairage, par de simples néons, donnait un aspect lugubre au lieu. Escorté par un gardien, le commissaire Jaspin avança d'un pas lourd vers la lourde porte de fer. Un cri mécanique strident, et elle s'ouvrit. Il arriva dans une cour à demi-découverte, une sorte d'atrium distribuant différents couloirs. Jaspin connaissait chaque pièce de cet immense complexe. Il y était venu tant de fois. Au début avec appréhension, puis avec détachement. Le spectacle du lieu ne l'impressionnait plus.

La maison d'arrêt de Fleury-Merogis est constituée de trois blocs hexagonaux tranchant dans le paysage de cette tranquille ville de banlieue. Ses murs d'enceinte de trois cents mètres de long en font un paquebot lourd et imposant. La distribution entre les blocs se fait sous forme de patte d'oie. À chacune de celles-ci, une rotonde centrale abrite la loge des surveillants pénitentiaires. Dans ce panoptique, rien ne leur échappe. Chaque mètre carré de chaque cour est soigneusement balayé de leurs regards vigilants.

Plus jeune, le commissaire Jaspin y venait à la recherche d'éléments dans une enquête. Aujourd'hui, il s'y rendait pour jouer aux cartes. Un autre bruit crispant et Jaspin rejoignit un couloir plus large, donnant à nouveau sur une enfilade de portes. Un gardien lui ouvrit la troisième. La pièce sans fenêtres était sobrement meublée d'une table en formica et de deux chaises usées. Le commissaire s'assit et commença à mélanger les cartes. Une porte en face de lui s'ouvrit et un surveillant accompagna un vieil homme légèrement courbé. Malgré son âge, il avait le teint hâlé comme s'il revenait d'une journée sur la plage. Son sourire rendait son visage apaisant. Ses cheveux poivre et sel allaient très bien avec son visage, à tel point qu'il était difficile de l'imaginer jeune. Sa tenue bleue, semblable à celle d'un ouvrier, était usée aux manches de sa veste et aux coutures de son pantalon.

— Toujours aussi facile de te trouver toi ! lança Jaspin sans quitter les cartes des yeux, bientôt vingt piges que je t'ai mis ici et tu n'as pas bougé !

— Enfoiré va ! répondit le détenu en s'asseyant, souriant face à lui.

Les deux hommes se connaissaient depuis longtemps. Jaspin venait d'arriver à Paris, fuyant le Nord et la perte de son ami et mentor. À l'époque, un mystérieux receleur d'objet d'art mettait toutes les brigades de police sur les nerfs. L'homme avait constitué le plus large réseau européen de recel avec une technique des plus simples. Les bijoux de peu de valeur étaient fondus en lingots d'or brut. Les objets les plus onéreux étaient discrètement acheminés dans des transports de marchandises alimentaires à Rungis où il travaillait. Ce type de chargement n'était alors pas soumis à un contrôle aux rayons X lors des passages en douane. Sûrs de trouver un receleur fiable, les voleurs de tout poil s'improvisaient cambrioleurs et autres monte-en-l'air. Toutes les bijouteries parisiennes en étaient victime ou vivaient dans la peur d'être visitées.

Jaspin finit par le coincer en observant que les résultats de ces vols convergeaient tous vers une compagnie d'import-export alimentaire de Rungis. Il ne fut pas long à trouver suspect ce jeune homme bien trop sûr de lui, se permettant de faire la cour à sa collègue Sarah. Se sachant bientôt sous les fers, le receleur se fit gentleman et se rendit au commissariat de lui-même afin d'y chanter sa sérénade pour l'élue de son cœur. Depuis lors, les deux hommes étaient devenus amis. Bien sûr, au début, le receleur en voulait à Jaspin de l'avoir arrêté. Mais il y avait dans cette douce détestation une forme d'admiration réciproque. Jaspin lui rendait visite régulièrement, pour des parties de cartes mémorables où la triche était aussi tolérée que courante. Jaspin lui amenait des livres, et une fois par an, le nouveau Beruer. Leur écrivain préféré.

Si le commissaire y appréciait suivre les agissements du méchant de l'histoire pour mieux comprendre comment l'arrêter au plus vite, le détenu adorait s'imaginer à sa place et chercher un moyen de s'échapper. Le commissaire s'évertuait à chercher dans sa lecture, un moyen de le mettre en prison quand le détenu lisait pour s'en échapper. Une fois encore, la discussion autour de leur partie de cartes allait tourner autour de Beruer. Mais pour une fois, pas pour ses romans.

— Je suis en charge de l'affaire de la disparition de Paul Beruer, tu sais.

— Ce n'est pas vrai, Jacques ? Quelle aubaine ! Je lis tous les articles à ce sujet !

— Je suis dans une impasse. Je n'y comprends plus rien.

— Le grand Jacques Jaspin serait-il à court d'idées ?

— Arrête de te foutre de moi, tu veux.

Jaspin était sur les nerfs. La veille, son chef arrivait dans son bureau en tirant sur ses bretelles et lui annonçait d'un air grave qu'il devait mettre les bouchées doubles sur cette enquête, la presse n'allait pas les lâcher sur ce coup.

— Eh bien quoi ? reprit l'ancien receleur. Il est dit partout dans la presse que Beruer est parti, rien de plus.

— Je sais, mais il me semble que quelque chose ne va pas, ce n'est pas logique.

— Tu veux tout le temps que tout soit logique. Parle-moi plutôt de la belle Sarah, comment va-t-elle ?

— Tu ne veux pas la laisser tranquille ? Après tout ce temps ?

— Je l'aimerai à jamais Jacques ! Quelle merveille !

Avec ses yeux en amande et sa chevelure tombante sur ses frêles épaules…

— Oui c'est bon, je crois que j'ai l'idée. Bon, et toi, quoi de nouveau à raconter ?

— Oh tu sais, la routine ici, le mardi ressemble au mercredi comme le jeudi au vendredi. Mais j'ai une histoire qui va te plaire. On dirait une histoire digne d'un livre de Beruer justement. L'autre jour, il y a un gars de mon bloc qui me raconte l'histoire de son cousin, incarcéré en Amérique du Sud. Vrai ou pas, je n'en sais rien. Tu sais ici, on parle souvent pour que le temps soit moins long. Son cousin, il passe la nuit dans sa cellule, et le lendemain matin, au petit-déjeuner, il prend à part un maton, l'assomme et met ses vêtements. Il est sorti aussi simplement que ça de la prison ! Tu imagines ? Tout seul, sans arme, sans bruit. Il a disparu comme un courant d'air. Apparemment, il a passé plusieurs semaines dans la campagne, loin des patrouilles de police qui le cherchait partout. Il avait enterré une part du butin de son dernier casse, et il se retrouvait désormais plus riche que tu ne le seras jamais. Le bonhomme il se déguise plusieurs fois, en curé il paraît, ça attire moins l'attention. Bref, impossible de le trouver. Alors la police cherche à voir s'il n'est pas parti à l'étranger. Et là, bingo : le type s'apprête à partir aux Seychelles !

— Il a payé son billet en cash, je suppose, lança Jaspin désabusé par cette histoire qu'il jugeait peu intéressante. Tu le sais bien c'est impossible de filer quelqu'un qui paye tout en espèces, on en a déjà parlé.

— Ça oui c'est sûr, en revanche il n'a pas été malin ! Il a gentiment donné son nom lors de l'enregistrement de ses bagages ! Tu comprends, il devait avoir une pièce d'identité plus que valable pour pouvoir enregistrer sa valise pleine de billets, sinon jamais la compagnie ne l'aurait accepté. Dès qu'il a donné son nom, l'ordinateur s'est mis à sonner, paraît-il, la police n'avait plus qu'à le cueillir à la porte d'embarquement. Tu te rends compte Jacques ! Ce n'est pas fou de se faire pincer aussi bêtement ?

Jaspin se leva d'un bond et ne se tourna vers son ami que pour le saluer avant de franchir la porte :

— Bouge pas de là surtout, je reviens te voir !

— Enfoiré, tu veux que j'aille où ? Le détenu regardait les cartes d'un air abattu :

— J'allais gagner…

Jaspin quitta la prison le plus vite possible, il passa les barrages des surveillants les uns après les autres les priant de se dépêcher. Il fonça pied au plancher au commissariat. Devant son bureau, Sarah :

— Tu as le bonjour de ton gentleman receleur, Sarah.

— Ce n'est pas vrai… dis-lui de passer à autre chose, ça fait vingt ans.

Dans son bureau, Jaspin se précipita sur son ordinateur. Il chercha sur internet les numéros des compagnies aériennes proposant des vols de Paris vers l'Argentine. D'après sa lettre, Paul Beruer était en Argentine. Mais il n'y avait aucune dépense sur ses comptes bancaires depuis son départ. Pas même un billet d'avion. Jaspin se sentait bête, l'explication était simple, et c'était son ami receleur qui venait de lui donner : Beruer payait tout en liquide. Cela permettait de disparaître sans laisser de traces. L'écrivain était à l'évidence un maître en la matière, après avoir écrit les aventures de tant de personnages en fuite. Il était passé de la théorie à la pratique. Mais il avait peut-être commis une erreur. Jaspin appela toutes les compagnies aériennes proposant des vols reliant Paris à l'Argentine. Rien. Aucune n'avait dans ses fichiers de réservations récentes un certain Paul Beruer. Pour la plupart, soit il parvenait à trouver un interlocuteur français à qui expliquer sa requête, soit un savant mélange des langues de Molière et de Shakespeare était suffisant. Mais pour la dernière compagnie de la liste, c'était un vrai dialogue de sourds. Jaspin hurla :

— Costal !

Le capitaine déboula dans son bureau, l'air surpris :

— Oui, Commissaire ?

— Dis-moi, tu parles un peu espagnol toi ? demanda Jaspin.

— Oui commissaire, un peu, répondit Costal, surpris par cette question.

— Bon ça fera l'affaire, vient m'aider à traduire.

Le niveau d'espagnol de Costal était tout à fait élémentaire, mais il se doutait que celui du commissaire n'était guère mieux.

— Je suis au téléphone avec une dame de la compagnie AéroMexico, expliqua Jaspin, mais je ne comprends rien à ce qu'elle me raconte. Demande-lui si dans les derniers jours, Paul Beruer a pris un billet vers l'Argentine. Costal saisit le combiné :

— Hola señora, ¿en sus registros, usted tiene una reserva al nombre del señor Paul Beruer? ¿Por Argentina?

— Espera, déjame comprobar ... ¿ Paul Beruer ? No, no tengo nada con ese nombre, señor.

— Elle dit que non, commissaire, traduit Costal.

— Attends, demande-lui si elle a un billet au nom de Louis Armand.

— Louis Armand ? son ami qui a fait le signalement ?

— Oui, demande-lui.

— Disculpe señora, pero ¿ en nombre de Louis Armand ?

— No más señor, no tengo nada para estos nombres.

— Elle dit…

— J'ai compris Costal, coupa le commissaire. Raccroche s'il te plaît.

Le commissaire était dépité. Il pensait enfin avoir une piste solide sur cette disparition si étrange. Costal et Jaspin se regardèrent en silence, l'air grave. Paul Beruer n'était pas en Argentine. Il le savait désormais. La lettre est fausse. Il revoyait Louis Armand lui tendre l'enveloppe ouverte. C'était lui qui l'avait écrite. Le commissaire Jaspin en était convaincu. Mais pourquoi ? Et où était Paul Beruer ?

***

Les journées de Sophie sont aussi monotones qu'inattendues. Le matin, après s'être préparée et avoir embrassé Louis, déjà vissé à son ordinateur, elle partait au travail. La crèche n'était qu'à quelques centaines de mètres de son appartement, elle y va généralement à pied sauf l'hiver où le froid la pousse dans un bus bondé. Ce matin-là,

Sophie était heureuse. Son travail lui plaisait, elle s'y rendait avec une certaine envie. Son homme allait mieux, il était plus serein depuis qu'il travaillait seul. Bien sûr, la disparition de Paul était inquiétante. Louis ne lui avait jamais présenté l'écrivain, qui restait comme un mystère pour elle. Sophie préférait le voir comme le patron de Louis. Bien sûr, elle savait que leur relation était autrement plus compliquée et tumultueuse, mais elle s'était toujours refusée à s'en mêler. Ces derniers temps, leur collaboration s'était détériorée, et force est de constater que Louis était bien plus heureux sans lui. C'était tout ce qui comptait pour Sophie.

L'arrivée des enfants s'étale généralement sur deux bonnes heures. C'est un moment douloureux, surtout pour les petits nouveaux. Sophie leur laisse quelques minutes dans les bras rassurants de leurs parents avant de venir essuyer les quelques larmes inévitables à cet âge. Une fois tous les enfants présents, il est l'heure de la première activité du jour. Elle consiste en général à tous les rassembler en rond dans un moment de calme propice à l'annonce des activités du jour et au rappel de quelques règles de bases. Ensuite, les activités manuelles et autres moments ludiques s'enchaînent, entravés par quelques caprices, pleurs et cris. Ce sont souvent les mêmes qui se font les chantres de cette comédie. Elle les garde souvent à l'œil. Peu avant midi, il est temps d'aller se défouler dans la cour. Les enfants se balancent, sautent, courent et s'ouvrent l'appétit en dépensant tout ce surplus d'énergie. Au loin, le facteur passe dans la rue. Sophie demande à une collègue de la remplacer dans la surveillance des mini-monstres comme elle aime à les appeler affectueusement. Voilà presque deux semaines qu'elle attend un colis. Un joli foulard d'occasion aux teintes bleutées. D'occasion, c'était une vraie aubaine, mais elle l'attendait toujours.

— Bonjour Monsieur, lança-t-elle, arrivée près du facteur enfourchant son vélo.

— Bonjour Madame, je suis désolé, je n'ai toujours pas votre colis. Il avait l'habitude de la voir venir prendre des nouvelles de l'objet convoité et il s'étonnait lui-même de ce retard. Il fouilla dans sa besace :

— D'ailleurs… je n'ai rien pour vous aujourd'hui.

Sophie rentra bredouille dans la crèche où il était désormais temps de déjeuner. Le point d'orgue de la journée. Avant de passer à table, lavage des mains obligatoire ; tout le monde au lavabo, à la queue, sur un marchepied pour les plus petits. Les repas sont toujours équilibrés, l'occasion de découvrir de nouvelles saveurs. Avec plus ou moins de réussite. Sophie se souvient d'un esclandre qui avait failli se transformer en mutinerie avec le service d'épinards à la crème. Après ce temps d'animation vient un temps de repos attendu avec impatience par Sophie et ses collègues : la sieste. Moment de repos pour tous. Deux bonnes heures de calme et de silence. Sauf pour les petits dormeurs et les capricieux. Ce sont souvent les mêmes agités que ceux du matin.

Vers la fin de la sieste, Sophie préparait un autre moment agréable pour tous. Chacun à leur rythme, les enfants quittent les bras de Morphée pour se réunir autour du goûter.

Certains restent calmes, bien assommés par la sieste, d'autres au contraire, ont fait le plein d'énergie et comptent bien le dépenser. Sophie doit gérer ces excités du goûter afin d'éviter tout caprice. Arrive alors le moment d'initier des activités calmes comme de la lecture ou des jeux d'éveil pour les plus petits, avant le retour des parents. Le moment le plus douloureux pour Sophie est déjà là : dire au revoir aux mini-monstres. Un léger déchirement que la joie de les retrouver le lendemain viendra refermer. Après un peu de rangement nécessaire au lendemain, Sophie rentra chez elle. Louis n'était pas là. Elle s'attendait à le retrouver sur son ordinateur, à lui demander s'il avait au moins mis le nez dehors dans la journée. L'appartement était vide. Louis était sûrement sorti faire un tour dans le quartier. Il en avait besoin. Sophie était heureuse de le voir si pris par son travail, mais elle voyait bien que ce n'était pas sain de s'y consacrer avec une telle intensité. Louis était depuis quelques jours une sorte de zombie à l'esprit sans cesse occupé. Il prenait enfin un peu de temps loin de son écriture et cela ne pouvait que l'aider à retrouver un équilibre. Fatiguée de sa journée de travail, Sophie prit une douche. Rapidement, une brume épaisse et chaude envahit toute la salle de bain. Sophie enroula une serviette autour d'elle après s'être séché ses cheveux. Elle aimait cette sensation de douceur tiède sur sa peau. Dans le salon vide, son regard était attiré par l'ordinateur de Louis. Sophie sentit en elle l'envie coupable de l'ouvrir et de lire son travail. Bien sûr, Louis ne la laisserait jamais lire ne serait-ce qu'un paragraphe avant que cela soit terminé. C'est-à-dire dans plusieurs semaines. Ou mois. Mais ce projet semblait si précieux pour Louis, si plaisant et loin de ses précédents travaux avec Paul Beruer, elle ne pouvait résister à l'idée d'en savoir plus. Sophie n'eut aucun mal à déverrouiller l'ordinateur. Le mot de passe était la date de leur rencontre. Sur son bureau, un seul document, un traitement de texte. Elle ouvrit le document qui contenait déjà presque une centaine de pages. Elle déroula et commença à lire le début d'un chapitre, le troisième :

Je suis arrivé chez lui avec tous mes espoirs. Enfin, j'allais discuter avec Paul. Lui faire part de mes envies d'être publié sous mon nom. De retrouver ma liberté. Il était temps de mettre fin à cette mascarade. Ce soir, tout serait fini. Paul m'accueillit d'un sourire sincère. Une douce odeur de plat en sauce inondait l'appartement. Un vin reposait dans une carafe à décanter. Paul me présenta notre repas avec passion. À vrai dire, je n'écoutais pas sa logorrhée culinaire. Je ne pensais qu'au moment et à la manière de lui annoncer la fin de notre collaboration. Évidemment, sur la route, je m'étais imaginé différentes manières de lui dire. Sur le moment, aucune ne semblait convenir. Je restais donc là, à sourire poliment et à dodeliner de la tête comme un élève patient se courbant face à la culture et l'aisance de son maître. Paul finit par me servir un verre. Le vin était excellent. La discussion dériva sur des futilités qu'échangent deux personnes se connaissant peu. Rien n'était plus vrai. Je n'avais pas l'impression de connaître Paul Beruer. Il revient à sa fichue recette de cuisine et c'est alors que j'explosai :

— Je ne fais que suivre la recette de ma grand-mère tu sais, le secret c'est de bien faire mi...

— *Tu ne fais que ça, suivre une recette, Paul.*

Ça en était trop. Il était temps d'en finir. Un silence pesant s'installa dans tout l'appartement.

— *Que veux-tu dire Louis ? demanda-t-il.*

Son visage traduisait la peur. En quelques mots, cette dernière avait changé de camp.

— *Avec moi tu as trouvé la recette du succès.*

— *Tu ne veux pas qu'on discute de tout ça à table ? Comme à son habitude, Paul évitait la confrontation. Mais il était trop tard, les hostilités étaient lancées.*

— *Non Paul, tu n'as plus autorité sur moi, c'est fini, répliquai-je sèchement.*

— *Autorité ? Pardon ? Je ne suis pas ton chef Louis ! Nous travaillons tous les deux d'égal à égal, je te rappelle.*

Il n'aimait pas que je le mette face à la vérité. Paul s'était toujours refusé à assumer sa position de maître dans notre relation. Il était dans le déni de mon servage, soumis tout entier à sa popularité. Je n'avais plus peur de le provoquer :

— *Foutaises.*

— *Tu gagnes autant que moi je te ferais dire.*

L'argent. Il n'avait donc rien compris. Je me fiche de l'argent. Quand je lui parle de liberté, il me parle d'argent. Je savais ce qu'il pensait. J'étais pour lui un enfant gâté qui faisait un nouveau caprice. Paul se voyait comme un bon samaritain qui m'a sorti de ma triste situation pour faire de moi une personne riche. Je devais lui être reconnaissant de ce qu'il a fait pour moi. Je n'ai plus rien à faire avec cette personne. Je repris :

— *Et c'est ton nom sur la couverture.*

— *C'est donc ça le problème !*

— *Bien sûr que c'est ça le problème ! Le ton était monté d'un cran de part et d'autre. Nous étions désormais face à face, nous regardant gravement avec un air de défi.*

— *Et alors quoi ? Tu penses exister sans moi ? Je te rappelle qu'avant de me connaître tu n'étais rien.*

Voici enfin le couplet sur le protecteur. J'enrageais. Toute une pression violente monta en moi jusqu'à comprimer mon souffle et raidir mes bras. Je voulais l'insulter et le frapper :

— Et toi un écrivain ringard.

— J'en suis un, moi.

Ça en était trop. Il voulait m'humilier. Cela n'arrivera pas. Je ne lui laisserai pas cette joie. Je ne lui laisserai rien. Je lui proposai de me présenter à son éditeur, pour que je sois enfin publié sous mon nom. En échange, je ne dirais rien de nos années de travail. Sa réponse ne m'étonna pas :

— Hors de question Louis, ça fonctionne bien tous les deux, on a créé une vraie belle marque Beruer et toi tu veux tout gâcher ! s'emporta-t-il.

— Je veux être reconnu pour mon travail ! Je veux mon nom sur la couverture !

— Tu sais bien que c'est impossible ! Tu veux quoi ? Qu'on dise à tout le monde qu'en fait on écrit à deux ? Que le grand Beruer a besoin d'un petit jeune capricieux pour écrire ?

— Parfaitement, que tout le monde sache que tu n'es rien sans moi, que tu n'es pas foutu d'écrire une ligne.

— Tu vas trop loin Louis.

Il était désormais évident que tout ceci allait mal finir. Ni lui ni moi ne pouvions laisser l'autre s'en sortir ainsi. Il ne pouvait y avoir qu'un seul de nous deux sortant vainqueur de cet échange. L'autre serait balayé. C'est alors que Paul scella son destin et le mien avec :

— Sans moi tu n'es rien, lâcha Paul.

Sans réfléchir, je saisis le couteau à viande derrière moi, et je me jetai sur Paul. Ses mains sur mes épaules essayaient de me repousser. Il lâcha prise et la lame du couteau était déjà pleine de sang.

Le regard de Paul se figea, la bouche grande ouverte, ses doigts s'agrippaient à la manche de ma chemise. Puis il chuta au sol. Je restai avec le couteau ensanglanté dans la main. Je réalisai seulement alors que je venais de le poignarder. Je lâchai le couteau, incapable de mettre en ordre mes pensées. Une mare de sang se formait déjà autour de Paul, sur le carrelage de la cuisine. En le regardant, je vis ma chemise pleine de son sang. Je me penchai vers lui, son souffle était court. Il essayait de parler. Mais aucun son ne sortait de sa bouche. En quelques secondes, ses vaines tentatives s'amoindrissaient, jusqu'à ce que seul le silence reste.

Je restai là, sans bouger et sans bruit. Son corps dans mes bras pendant que la culpabilité envahissait tout mon être. Paul était mort en quelques dizaines de secondes. Il ne m'en fallut qu'une seule pour devenir son meurtrier. Tout était allé si vite. Trop vite. Comment une dispute pouvait se terminer de manière aussi tragique ? Je ne parvenais plus à y voir clair, mes pensées se mêlaient à mes angoisses et plus rien n'avait de sens. Cela ne pouvait pas être vrai. Je ne parvenais pas à y croire. Le sang de Paul continuait de glisser lentement sur le carrelage froid. Je me relevai, mes jambes tremblaient. Que devais-je faire ? Appeler la Police ? Plaider l'accident ? Le coup de folie ?

Je ne méritai pas tout ça. Paul m'avait pris ma liberté pendant de trop longues années, je ne le laisserai plus me voler. Mais maintenant, la police allait s'en mêler. J'allais être cherché comme l'horrible meurtrier du fameux Paul Beruer. Quelles options se présentaient à moi ? Me livrer aux forces de l'ordre, subir un procès médiatisé et finir mes jours en prison ? Une bouffée d'angoisse s'emparait de moi en imaginant cela. Il ne me restait plus qu'à disparaître à mon tour pour ne plus vivre cela. Il est encore difficile aujourd'hui d'y penser à nouveau, mais à ce moment précis, j'ai pensé au suicide. Mais je ne pouvais me résoudre à en finir de cette manière. Laisser mon nom accolé au sien pour toujours ? Il était hors de question qu'après ma mort, la presse se délecte de ce fait divers morbide. Je restai là, accoudée au plan de travail, son sang partout sur moi, à essayer de faire le vide dans ma tête.

Puis tout me sembla clair. Simple. Évident. Il était mort. Je devais passer à autre chose. Je n'étais pas condamné. J'étais libre. J'avais le droit de vivre, sans contraintes. Mais je devais agir vite et avec précision. Après tout, cela faisait des années que j'écrivais sur des crimes, des enquêtes, et des coupables qui échappaient à leur destin. Il était peut-être temps du faire du Beruer. Pour de vrai. Penser à cela me donna un regain d'espoir et une volonté que je sentais déjà sans limite.

C'est alors que je m'aperçus que son plat était toujours sur le feu. Trop tard, je vidai simplement le plat en sauce dans la poubelle. Je retirai l'ensemble de mes vêtements. En caleçon, je ne me sentais pas fier sur le moment. Il me fallait ensuite nettoyer la cuisine. Une chance pour moi, que Paul cultive avec soin une manie pour l'hygiène et le nettoyage. Je passai partout ; sol, tiroirs, plans de travail il ne devait rester aucune trace de cette horrible nuit. La cuisine était désormais propre.

Je pris des sacs poubelles dans l'un des tiroirs de la cuisine et j'y mis mes vêtements. Il me fallait désormais y mettre son corps. Je pris ses jambes et les glissai dans le sac contenant déjà mes vêtements. Il était lourd et la tâche n'était pas aisée ; je pris un deuxième sac plastique et j'y glissai le haut de son corps. Le plus difficile fut de passer ses épaules. Après plusieurs minutes, je réussis enfin. Son corps était recroquevillé en position fœtale. Je mis éponges, serviettes et autres matériels de nettoyage dans ce même sac, et joignis le tout vulgairement, avec de larges bandes de ruban adhésif. Puis j'empruntai une chemise, un pantalon et des chaussures dans la penderie de Paul. Je pris le couteau et le glissa dans ma ceinture.

Il était temps de quitter cet appartement. Je traînai son corps sur le palier en espérant que le voisin ne sorte pas à ce moment-là. Il n'y avait de la place dans cet ascenseur que pour deux personnes. J'étais coincé contre son cadavre. Rez-de-chaussée. Vide. La peur faisait battre mon cœur comme jamais auparavant. Mais il n'était plus temps de l'écouter. Il s'agissait d'être lucide et courageux. Je ne pouvais plus traîner son corps. Il me fallait le cacher. Je laissai le cadavre dans le hall et sortis. L'air était frais. Une poubelle. J'allais mettre son corps dedans. Je vidai son contenu sur le trottoir. Je la ramena dans l'immeuble, et la coucha au sol. Je fis glisser péniblement le sac dedans en prenant garde de ne pas l'abîmer. Il me semblait plus lourd *qu'auparavant. À mesure que je poussais son corps, la poubelle glissait du fait de ses roulettes. La scène devait être pathétique. Heureusement, je n'avais aucun public. Je parvins à mettre son cadavre en entier au bout de plusieurs minutes. Je releva la lourde poubelle et je sortis dans la rue. J'essayais de garder un pas régulier et vif. Il ne fallait pas attirer l'attention. Je savais très bien où j'allais. J'y pensais déjà en enroulant le sac de ruban adhésif. Les rues étaient vides à cette heure tardive. Quelques voitures seulement. Et moi, seul sur ce large trottoir, à promener ma poubelle. J'arrivais sur les quais. Je pris la pente douce en retenant la poubelle pour éviter qu'elle ne dégringole. Je me retrouvai seul face à la Seine. Je couchai à nouveau la poubelle, mais cette fois-ci pour en sortir le corps. Je le disposai le long du quai. L'obscurité masquait ma peur. Le doute m'envahit. Je pris trois grandes inspirations et le poussa du pied. Un bruit sourd accompagna la chute de son corps. Il flotta à la surface quelques instants, avant de disparaître dans la Seine. Voilà, c'était fait. Je me sentais plus léger. Je m'assis sur le quai. Je faisais le vide dans ma tête. Tout était fini. Paul Beruer venait de disparaître de ma vie. Je sentais comme une gêne dans le bas de mon dos. C'était le couteau. Je le jetai dans la Seine. La nuit était apaisante et calmait mes angoisses.*

Là, un bruit sec, métallique. La clé dans la porte d'entrée. Louis était de retour. Sophie sursauta et s'empressa de fermer le document, qui disparut de l'écran à l'instant même où Louis franchit le seuil de l'appartement.

***

C'était la deuxième fois que Louis Armand sortait de ce commissariat en étant serein. Désormais, il en était sûr, Jaspin ne pouvait plus poursuivre sa petite enquête personnelle. Cette lettre tuait tous ses espoirs. Il n'avait plus d'éléments à exploiter. Paul était en Argentine, voilà toute la vérité. Les jours passaient et déjà les médias se lassaient. D'ici peu de temps, la disparition de Paul Beruer serait oubliée, et il ne resterait de lui que d'obscurs succès littéraires. L'avenir appartenait à d'autres écrivains. À ceux qui posent leurs mots nouveaux sur le papier de demain. De jeunes auteurs viendront bientôt balayer les plumes du passé, et Louis comptait bien en être. Il rentrait chez lui et allait reprendre son grand projet. Ce grand roman qui porterait son nom. Enfin. Mais pour cela, il fallait être publié. Comme tout le reste, il avait pensé à ce problème et avait trouvé une solution. Tout était bien.

Arrivé devant chez lui, Louis jeta un regard à sa boîte aux lettres, enfonça sa clé dans la serrure, et vit Sophie sur son ordinateur :

— Tout va bien ? demanda Louis, surpris de la voir à son bureau.

— Oui, je regardais juste la météo. Pour voir comment m'habiller pour demain. Où étais-tu ?

Louis pensa qu'elle pouvait voir ça sur son téléphone, mais il n'avait aucune envie d'orienter la conversation sur un sujet aussi futile. Il avait plus important à lui dire :

— Je reviens du commissariat, l'après-midi a été folle. Le facteur m'a apporté une lettre qui vient de l'étranger. J'étais surpris, je regarde, il s'agit d'une enveloppe avec un timbre d'Argentine. Elle m'est adressée. Je la retourne pour voir l'expéditeur et surprise : Paul Beruer !

— Ah bon ? Et que te dit-il dans cette lettre ?

Sophie était perplexe quant à cette nouvelle. Le matin même, elle avait croisé le facteur, qui n'avait rien à lui donner. D'où sortait cette lettre ? Elle repensait à ce qu'elle venait de lire sur son ordinateur. Ces mots tournaient en boucle dans sa tête. Elle ne pouvait s'empêcher de regarder Louis en cherchant sur son visage les traces d'un mensonge. Il semblait enjoué, rassuré d'avoir des nouvelles de Paul. Il lui raconta son entrevue avec Jaspin, le contenu de la lettre, et leur discussion sur son travail avec Paul. Sophie écoutait de manière distraite. Elle ne savait plus ce qui était vrai, ce qui était faux, tout semblait se mêler dans les paroles de Louis. Il était différent. Jamais le Louis qu'elle connaissait n'aurait écrit cela. Ou même menti sur l'arrivée d'une simple lettre. Elle était perdue.

Ils dînèrent des restes de la veille. C'est Louis qui fit la conversation. Sophie se contenta de réagir à minima à la discussion. Arrivée au dessert, elle avait besoin de réponses :

— Tu penses que Paul reviendra bientôt ?

Le visage de Louis se figea. Il prit quelques secondes avant de répondre.

— Je n'en sais rien, à vrai dire je ne sais même pas s'il reviendra à Paris un jour. Tu sais, Paul était...

— Était ? tu parles déjà de lui au passé ?

— Façon de parler, Sophie. J'espère qu'il va bien, mais à part cette lettre on n'a pas de nouvelles, et visiblement Paul ne souhaite pas en donner régulièrement. On doit faire avec. Quoiqu'il en soit, je ne peux pas me permettre d'attendre son hypothétique retour. J'avance bien sur mon roman, tu sais.

Sophie sentit la peur l'envahir. Ce qu'elle venait de lire, était-ce son roman ? Avouait-il son crime ? Elle n'osait croire que la disparition de Paul Beruer était en réalité un meurtre. Après le repas, Sophie prétexta un mal de tête pour aller se coucher tôt. Seule dans son lit, elle entendait les doigts de Louis frapper délicatement les touches de son ordinateur. Il était en train de poursuivre le récit de la mort de Paul, pensa-t-elle. Le bruit des touches venait troubler de silence de cette soirée. Sophie était comme pétrifiée de peur. Elle n'osait plus bouger dans ce grand lit froid. Les larmes tombaient lentement sur ses joues. Elle resta ainsi des heures durant, à ne penser qu'à une seule chose. Louis avait tué Paul.

***

La fabrique de l'information se rapproche du jardinage dans son approche biodégradable. Une actualité en chasse une autre dans un mouvement ininterrompu de destruction créatrice. Si un sujet n'est plus nourri par des faits nouveaux, il peut vite tomber dans l'indifférence journalistique. Ainsi, de moins en moins d'articles abordaient la disparition de Paul Beruer, faute de nouvelles informations à relayer. Jaspin et Costal s'étaient bien gardés de parler aux médias de cette lettre d'Argentine. Pas plus que du dernier relevé bancaire vierge de l'écrivain. Si la police semblait faire du sur place, l'imagination des journaux people se portait à merveille. Cette presse spécialisée avait le remarquable talent de créer chaque semaine, de nouvelles révélations sans tenir compte ni des faits ni de la vérité. Leur déontologie et leur éthique professionnelle se perdaient dans les chiffres de ventes anticipées par les actionnaires de leur rédaction. Ainsi, les kiosques à journaux se tapissèrent d'anciennes photos, souvent les mêmes, de Paul Beruer. Ici, un départ pour échapper à la fiscalité française, bien trop lourde pour un riche écrivain. Là, un Paul Beruer parti retrouver sa fille cachée en Asie. Sur le magazine d'à côté, il était à la recherche d'un amour de jeunesse. Les plus vendus vantaient la folie d'un homme perturbé, ou un cancer foudroyant caché au public. Plus les jours passaient, plus les rumeurs de sa mort allaient bon train. Un accident de voiture sur la Côte d'Azur, une opération chirurgicale ayant mal tourné ou même une terrible crise cardiaque. Toutes ces théories venaient combler l'absence de faits sur cette mystérieuse disparition.

François Lecamp marchait d'un pas rapide dans la rue, mais ne peut s'empêcher de ralentir à chaque kiosque. Le visage de Paul Beruer à la une de tous ces magazines lui semble inimaginable. Bien sûr, comme éditeur, il s'attendait, espérait parfois, voir ses clients en haut de l'affiche, mais jamais pour des raisons si étranges. Il ne croyait pas un mot à ses ragots, ses rumeurs de caniveau. Il connaissait Paul. Si tant est qu'on puisse le connaître. Il savait qu'il était une des personnes les plus proches de l'écrivain, le côtoyant depuis bien des années, et pourtant, il semblait à François ne rien connaître de lui. Comme s'ils n'avaient fait que se croiser durant toutes ces années, sans jamais se lier à rien de commun. Pourtant, François avait toujours été là pour Paul. De ses débuts timides, à ses premiers succès, dans le creux de la vague, à son renouveau avec *L'admirateur*. Jamais François n'aurait jamais imaginé que Paul Beruer puisse disparaître comme ça, sans laisser de traces. Sans même le prévenir.

Lui, son éditeur, qui lui faisait confiance depuis tant d'années et s'accommodait de ses caprices. Imaginez être chargé de promouvoir les œuvres d'un écrivain d'une telle rareté. Recevoir journalistes et attachés de presse, tous demandeurs de celui qui domine la scène littéraire à chaque nouveau livre. François Lecamp était connu comme l'éditeur de Paul Beruer, peu importe ses autres faits de gloire professionnelle. La marque Beruer lui collait à la peau. Et voici que soudain le poids de ses succès, ceux de sa carrière et de sa réputation avaient disparu. Il ne restait qu'à François, le temps de répondre à tous ceux lui demandant des nouvelles de Paul, lui qui n'en savait pas plus qu'eux.

Il arriva dans la maison d'édition en saluant l'hôtesse d'accueil. Devant elle, un magazine people. Elle en était sûre, en le dévisageant. Il savait où Paul Beruer se cache. Le téléphone fixe clignotait en rouge de manière frénétique sur le bureau de François. Déjà une vingtaine d'appels en absence. Il n'avait toujours rien de nouveau à apporter aux curieux de tous bords. Plus loin sur son bureau s'empilaient les manuscrits. Une pile de pages formant un rappel du retard de François. Sur le haut de la pile, son courrier du jour. Déposé chaque matin par Nathalie, son assistante. Cela ne constituait jamais une réelle priorité pour François. Mais ce matin, il reconnut une écriture sur la lettre trônant tout en haut de l'édifice de papier. François connaissait très bien cette écriture en pattes de mouches toute serrée. Il ouvrit l'enveloppe et commença à lire :

Mon cher François, mon bon ami,

Je prends quelque temps de repos loin de toute cette agitation. J'ai besoin de temps pour me ressourcer. Je sais que tu comprendras. Mais je t'écris pour tout autre chose.

Tu vas recevoir prochainement mon bon ami, un manuscrit d'un de mes proches qui m'est très cher. Louis Armand. Il est jeune et talentueux. Je sais que tu sauras l'accueillir avec la même bienveillance dont tu as su faire preuve à mes débuts. Je le connais depuis bien longtemps désormais et il tient un grand roman. Plus grand que tout ce que j'ai pu écrire. L'histoire te semblera peut-être déroutante, voire incongrue. Mais je te demande de publier tel quel ce manuscrit. Ne te laisse pas décourager par le début. Tu comprendras à la fin.

Au plaisir de te revoir très vite mon cher ami et en te remerciant grandement pour l'aide que tu pourras apporter à Louis.

Paul Beruer

C'était tout. François connaissait le goût de Paul pour la brièveté de ses messages et de ses interactions sociales en général, mais là, cela lui semblait bien trop peu. Une disparition inquiétante balayée d'un trait d'encre sur quelques lignes. Le reste du message concernait un tout autre sujet comme si Paul ne voyait pas toute l'agitation causée par son départ. Louis Armand ? Il n'en avait jamais entendu parler. Paul ne lui avait d'ailleurs jamais parlé d'aucun autre écrivain durant toutes ces années d'étroite collaboration. Il était courant que des écrivains bien implantés sur la scène littéraire profite de leur renommée pour suggérer de nouveaux auteurs à leur éditeur, mais cela n'était pas du tout dans les habitudes d'un Paul Beruer. Mais en professionnel aguerri, une autre chose intrigua François. Cette recommandation ne s'accompagnait d'aucun manuscrit. Paul avait-il seulement lu le texte de ce Louis Armand ? Comme un réflexe, il tapa ce nom inconnu sur internet. Rien. Un profil sur les réseaux sociaux mentionnait un professeur de français en banlieue parisienne. Il relut cette lettre plusieurs fois, jusqu'à ce que les mots se mettent à résonner dans sa tête. Il entendait la voix de Paul :

Plus grand que tout ce que j'ai pu écrire.

Pourquoi Paul rabaissait-il ainsi son travail ? Cela ne lui ressemblait pas. Il n'était pas du genre à tomber dans un narcissisme pédant, mais jamais il n'avait fait preuve d'un tel dénigrement de sa propre écriture.

L'histoire te semblera peut-être déroutante, voire incongrue.

Paul avait-il déjà lu ce manuscrit ? En quoi cela pouvait-il être si déroutant ? Cette phrase était sûrement la plus mystérieuse. François ne savait quoi en penser.

Ne te laisse pas décourager par le début. Tu comprendras à la fin.
François serrait avec force cette lettre en y cherchant un sens. Il ne savait pas où Paul souhaitait l'amener avec cette histoire. Qui était ce Louis Armand ?

***

Louis passa sa soirée à écrire. Ses doigts s'abaissaient lourdement, mais avec frénésie sur le clavier de son ordinateur. C'était le seul bruit qui occupait l'appartement. Sophie était partie se coucher tôt. Il était seul avec son histoire. Ce récit qui allait changer sa vie et faire grand bruit à sa sortie. Il avait hâte de finir ce roman. D'avoir des nouvelles de l'éditeur. Paul était mort. Mais son nom existait toujours. Dans les médias, les faits divers, et auprès de son public. Louis avait besoin de le tuer, que tout le monde le sache fini. Il avait jeté son corps dans la Seine, il était temps de le tuer également dans un livre. Pour le plaisir, il relut le passage de la nuit du meurtre. Il adorait ce moment. Il lui semblait si bien exécuté, si juste. Lire encore et encore, revoir son corps, chuter dans la cuisine, son souffle court et le sang partout. Louis parcourait ces quelques lignes, où faisant preuve d'un sang-froid exemplaire, il réussit à penser à chaque détail et faire disparaître toutes traces de son crime. Après ce passage, un détail. Il y avait juste en dessous d'un paragraphe, une chose étrange : *Jkbh.*

Il n'avait jamais écrit cela. C'était une suite de lettres, sans aucun sens. Des lettres voisines sur un clavier d'ordinateur. Comme si une maladresse les avait fait naître. Louis regarda les propriétés de son traitement de texte. Dans l'historique des versions, il comprit. Ce document avait été ouvert alors qu'il était sur le chemin du retour du commissariat. Il revoyait Sophie assise à son ordinateur. Elle l'avait lu. Elle ne pouvait pas comprendre, bien sûr, elle ne connaissait même pas Paul. Calmement, Louis referma son ordinateur et alla se brosser les dents. Tout était paisible désormais. Il fixa son reflet dans le miroir. Pourquoi avait-elle dû s'en mêler ? Il était trop tard pour penser à cela. Sophie savait. Louis se coucha sans faire de bruit à ses côtés. Il l'embrassa sur la tempe. Elle ne bougea pas. Louis pensa qu'elle dormait. Mais elle avait bien trop peur pour ne serait-ce qu'y penser. Ils passèrent la nuit ensemble. Éveillés. Sans un mot.

Chapitre 8

Le corps de Paul Beruer a été retrouvé. L'information était dans toute la presse le lendemain après-midi. Pas un média ne mit de côté cette information. Il faut dire qu'après l'emballement médiatique des derniers jours autour de sa disparition, les journalistes étaient à l'affût de la moindre nouvelle, guettant toutes les annonces des services de police.

Vers dix-neuf heures la veille, une dame d'un certain âge promenait son chien au bord de la Seine dans la paisible ville de Suresnes. L'animal s'arrêta pour renifler un tas de décombres et de poubelles, pris dans des roseaux au bord du rivage.

— Guizmo, ça suffit, on rentre, assena la promeneuse. Mais le chien insista. Il s'évertuait à renifler les déchets. En s'approchant de lui pour le réprimander, la vieille dame vit flotter un sac plastique imposant, parsemé de bouts de scotch et d'entailles. Du pied, elle tourna légèrement le sac alors qu'une main blafarde sortait du sac. La vieille dame cria de peur et tira fort sur la laisse de Guizmo avant de s'enfuir.

La police criminelle arriva sur place en début de soirée. Le corps fut sorti de l'eau avec précaution. Il fut conduit sans attendre dans un centre médico-légal. Même sans identification claire, les policiers commencèrent à faire naître une rumeur. Une fois le sac ouvert, et ce malgré la décomposition du corps, le visage du cadavre ressemblait à cet écrivain disparu il y a peu, dont tout le monde parlait. Un homme d'une cinquantaine d'années, avec une barbe blanche fournie. Il n'en fallait pas plus. La rumeur résonna d'abord dans le commissariat central de Suresnes. Puis toute la ville entendit ce bruit. Enfin, les salles de rédaction parisiennes mirent des mots sur la nouvelle. Au matin, dans les kiosques, les gros titres ne manquaient pas d'imagination pour relayer la nouvelle, sans répéter exactement la formule du voisin :

Le Parisien : Le corps de l'écrivain Paul Beruer retrouvé dans la Seine

Simple, clair, efficace. Nulle place au doute, il s'agit d'un scoop.

Le Figaro : Rebondissement dans l'affaire Beruer

La nouvelle est on ne peut plus claire : « Tout vient de changer dans le fait divers du moment, lisez-nous pour en savoir davantage. »

Le Monde : Affaire Paul Beruer : Un corps retrouvé dans la Seine. Il pourrait s'agir de celui de l'écrivain.

Le plus frileux. Une simple supposition, dans cette « affaire » qui passionnait déjà tout le monde, mais surtout les journalistes.

***

— Vous avez vu commissaire ? demanda le capitaine Costal en déposant quelques journaux sur le bureau de Jaspin.

— Non Costal, j'ai décidé ce matin d'aller au boulot en fermant les yeux, et en oubliant mon téléphone. La vraie question, c'est comment ils ont eu l'information ?

— Vous savez commissaire, ils ont l'habitude de partir à la pêche aux faits divers, dit le capitaine, d'un air détaché.

Jacques Jaspin détestait les journalistes. Surtout ceux écrivant sur ses enquêtes. Ils déformaient la réalité pour en faire du sensationnel, ils influencent l'opinion, les témoins et parfois même les suspects. Leurs conjectures et leurs sous-entendus orientaient les enquêtes, quand leurs intrusions sur les scènes de crime et au tribunal ne venaient tout simplement pas empêcher son travail et celui de la justice. Un jour ils diabolisent un suspect, le lendemain, ils en font un héros romantique. Rien en nuance, tout dans l'oubli de l'objectivité nécessaire à une enquête de police. Jaspin s'était retenu plusieurs fois d'aller s'expliquer avec eux. Sur cette enquête, cela allait déjà trop loin. Non seulement l'enquête n'avançait pas faute d'éléments, mais comme il s'agissait de Paul Beruer, les médias n'avaient aucune limite. Chaque jour, des chroniques et des reportages venaient alimenter l'affaire, alors même qu'aucun nouvel élément n'avait été découvert. Alors, on invente, on fabule, on suggère. Pourquoi s'embêtait-il lui, commissaire de police, à recueillir des indices, à interroger des témoins, à chercher mobiles et alibis ? Il suffisait de faire marcher son imagination. Toute la France ne vivait plus qu'au rythme de cette enquête. Avec la découverte du corps, Jaspin voyait déjà les charognards tourner autour de leur prochain repas. Retrouver le corps mort de Paul Beruer était une option que Jaspin espérait éviter. Bien sûr, il savait d'expériences que si beaucoup de disparus ne sont pas retrouvés, c'est qu'il risque de les voir sous forme de cadavres. Ils refont surface, parfois, et l'enquête est relancée. Mais cela peut prendre des années. Et pour ceux qui disparaissent à jamais, ils laissent plus de questions que de réponses sur leurs routes. Ceux qui restent doivent vivre avec ce vide, essayant de combler les manques avec leur douleur. Non, vraiment, les histoires de disparitions étaient les pires, pensa-t-il.

Jaspin et Costal se rendirent au centre médico-légal. Là-bas, ils retrouvèrent le docteur Pascale Tanfin.

Une femme d'une cinquantaine d'années, mais qui en paraissait dix de moins. Pas un cheveu ne dépassait de son chignon blond. Sa blouse était parfaitement ajustée, sans l'ombre d'un faux pli. Le docteur Tanfin était connue dans toute la région parisienne pour sa précision obsessionnelle. Jamais en retard, toujours le mot juste, ses rapports détaillés à l'extrême étaient de véritables mines d'or pour les inspecteurs de police. Beaucoup restent marqués par ses témoignages lors de procès. Les jurés se souviennent de son charisme naturel, servi par une froideur scientifique imperturbable. Elle n'hésite pas à développer longuement son analyse médico-légale, essayant de les rendre accessibles à un public amateur sans jamais verser dans la simplification réductrice. Certains la considèrent comme snob ou méprisante. C'est parce que ces personnes ne voient pas que pour Pascale Tanfin, seule l'exactitude des faits compte. L'image qu'elle renvoie ne l'intéresse pas. Beaucoup d'hommes ont essayé de séduire cette femme aussi brillante qu'attirante. À ce jour, aucun n'a eu le courage de creuser, au-delà de son apparente froideur.

— Bonjour docteur, dit Jaspin en entrant dans la salle d'examen. Costal le suivait et adressa un signe de tête vers elle.

— Bonjour commissaire.

Les deux se connaissaient très bien. À vrai dire, Jaspin n'était pas très à l'aise face aux cadavres. Il ne s'était jamais fait à cette confrontation directe d'avec la mort. Il l'avait vu sous toutes ses formes pourtant. Des présentables aux putréfiés, en passant par les démembrés. Jaspin se souvenait d'un motard à la tête arrachée après un impact à pleine vitesse sur le bitume. Le casque avait été retrouvé à plusieurs dizaines de mètres derrière le corps.

Les rapports du docteur Tanfin étaient pour lui un signe de réjouissance. Nombre d'enquêtes avaient pu être menées à leurs termes, grâce à ses analyses. De son côté, le docteur Tanfin appréciait le commissaire pour le respect qu'il accordait à ses rapports. En face d'eux, allongé sur la table d'examen, un homme au corps nu. L'odeur était pestilentielle. Un mélange de moisissure extrême et de viande en décomposition. Jaspin et Costal passèrent un trait de crème mentholée sous leurs narines. Le visage était bouffi, tuméfié, de couleur bronze. L'eau avait déjà commencé son travail de déformation. Pourtant, Jaspin y voyait le visage de Paul Beruer. Les traits étaient tirés, les rares cheveux, hirsutes, mais c'était bien lui. La barbe avait curieusement gardé sa blancheur intacte. Le docteur Tanfin les invita à observer les sacs plastiques. Ils étaient troués, voire émiettés à certains endroits :

— Le corps a été retrouvé emballé dans cet ensemble de sacs, vraisemblablement il s'agit de sacs poubelle d'usage domestique de grande contenance. Le tout a été scotché grossièrement comme vous pouvez le voir ici commissaire. Malheureusement, le contact prolongé avec l'eau et les rongeurs ont trop détérioré ces éléments pour pouvoir y mener des analyses convenables.

— Il n'avait pas de vêtements ? demanda Costal.

— Non, le corps était nu, tel que présenté ici, capitaine.

Le docteur Tanfin s'approcha du corps quand le commissaire Jaspin reprit :

— Si c'était une simple noyade, il serait tombé dans l'eau, avec ses habits, ou nu comme un vers selon ses goûts pour la trempette, mais on l'aurait retrouvé dans la flotte pas dans ce paquet cadeau.

— Pourtant, reprit le docteur Tanfin, tout laisse à croire à une noyade.

Costal semblait tout aussi surpris que le commissaire. Les deux policiers regardaient le corps. Il était d'une teinte jaunâtre indéfinissable. Certaines parties de son corps, notamment proche des articulations, tournaient vers le marron, alors que des coulées formaient comme un épais amas verdâtre. Son abdomen était gonflé et distendu de manière inégale, ce qui lui donnait un aspect à peine humain. Ses jambes étaient flétries, les chairs ramollies. Les veines de ses bras semblaient avoir explosé, lui laissant des taches violettes et noires sur les avant-bras. Le bout de ses doigts était bleuté. Ses empreintes digitales disparaissaient dans d'affreuses meurtrissures.

— Ce sont les rats, commenta le docteur Tanfin. Le sac était infesté de rongeurs. Avec leurs mâchoires puissantes, ils ont déchiqueté le plastique avant de s'attaquer aux extrémités du corps, à la recherche de viande facilement accessible. Regardez plutôt.

Leurs visages traduisaient le dégoût. Le docteur Tanfin reprit :

— Le corps est aussi infesté de puces et de tics. J'ai même retrouvé des œufs d'araignée dans son oreille gauche, ils sont partis au laboratoire pour analyse, je pourrai ainsi vous dire l'espèce d'araignée dont il est question.

Le docteur Tanfin semblait excitée par cette nouvelle, alors que Costal luttait contre ses haut-le-cœur. Pour ne pas penser à sa nausée, Jaspin demanda :

— Dites-nous docteur, y a-t-il des traces de lutte sur le corps ?

Le commissaire avait son idée en tête. Tout inspecteur d'expérience arrivait à concevoir de scénarios en fonction des différents éléments d'une enquête. Une personne, sans doute un homme s'était rendu à son domicile. Peut-être un admirateur vexé ou énervé. Après quelques échanges houleux, entendus par le voisin, il finit par le tuer. Il aurait ensuite mis le corps dans le sac avant de le jeter à l'eau. Oui, mais voilà. Jaspin savait que des éléments de l'enquête ne correspondaient pas à cette histoire. Les affaires de l'écrivain ne sont plus dans son appartement. Sa penderie était vide. Le coupable aurait aussi pensé à mettre en scène la disparition de Beruer ? La lettre venant d'Argentine avec l'écriture de Paul. Comment pouvait-on falsifier cette pièce du dossier ? L'écriture peut s'imiter, mais cette lettre venait bien de Buenos Aires. Et pourquoi l'envoyer à ce Louis Armand, son nègre littéraire ? Personne ne savait que Louis travaillait pour Paul. À moins que quelqu'un ait découvert ce secret et soit venu faire chanter l'écrivain. Cela avait mal tourné et le meurtrier avait maquillé cela en disparition avant de partir en Argentine et de poster la lettre. Et si c'était le voisin ? Il était bien trop propre sur lui. Il savait où Paul habitait, et voyait régulièrement Louis se rendre chez lui. Il avait peut-être compris leur supercherie et était venu en parler à son célèbre voisin, espérant repartir plus riche, en le menaçant de tout révéler. Le docteur Tanfin mit fin à cette théorie en quelques mots seulement :

— Il n'y a aucune trace de luttes sur le corps, commissaire. Aucune marque de strangulation, d'hématomes ou d'ecchymoses. Je ne note par ailleurs aucune fracture ou plaie pouvant causer la mort. Les marques corporelles les plus visibles sont post-mortem. Voyez sur le flanc droit au niveau de ses cotes, il s'agit de morsures d'asticots, regardez là.

Jaspin sentit sa gorge se serrer à la vue des plaies purulentes. Costal s'était écarté pour reprendre son souffle, avant de demander :

— Quelle est la cause de la mort alors ?

— La noyade, affirma le docteur Tanfin. Plus précisément d'hypoxie. C'est-à-dire d'une diminution de la quantité d'oxygène distribuée par le sang. Il est parfois difficile d'établir un diagnostic de noyade, car comme vous le voyez, le corps est largement altéré. La face est cyanosée, la bouche et le nez sont devenus des nids à champignons de mousse et l'épiderme se ride et se craquelle sous l'effet de la macération prolongée dans l'eau.

Le docteur Tanfin montra la couture en forme de Y sur son torse.

— Mais après examen interne, on constate bien l'effet de la mort par noyade sur le corps. Les poumons ont gardé l'empreinte des côtes après avoir augmenté de volume. Mais le plus notable reste l'état du système digestif. Certes, la flore intestinale a participé à la décomposition bactérienne des parties molles du cadavre, mais il y a plus intéressant. L'estomac et les intestins contiennent la même eau que celle dans laquelle le corps baignait. Cette dernière a également causé une rupture alvéolo-capillaire permettant la présence de corps étrangers, notamment de micro-algues dans les parties distales des voies aériennes, ce qui en définitive, est bien ici un critère pathognomonique d'une noyade.

Costal et Jaspin se regardèrent l'air perdu. Ils avaient les yeux aussi vitreux que le cadavre devant eux. Le docteur Tanfin simplifia son propos :

— Il est mort noyé, c'est une certitude.

— Mais sans aucune trace de coups, vous dites ? reprit Jaspin.

— En effet, je pense qu'il est simplement tombé à l'eau tout seul.

— Tout seul ? s'étonna Costal.

— Avec l'aide de l'alcool. L'examen de son foie témoigne d'absorptions importantes et régulières d'alcool. Le sujet est alcoolique.

Jaspin avait du mal à voir Beruer une bouteille à la main. Certes, beaucoup d'écrivains étaient connus pour boire. Hemingway, Blondin, Rimbaud et Bukowski étaient tous des buveurs occasionnels ayant souvent des occasions de boire. Mais Beruer semblait bien sage face à ces modèles. Jaspin repensa alors à la bouteille dans la poubelle de la cuisine. L'écrivain était-il adepte de quêtes d'inspiration dans le fond des bouteilles ?

— Il est toujours difficile d'identifier un corps mort par noyade, affirma le docteur Tanfin, l'état des mains est trop dégradé pour un relevé d'empreintes viable. J'ai entamé une procédure par identification dentaire, mais à mon avis cela n'aboutira pas.

— Pourquoi donc ? demanda Jaspin.

— Sa dentition était globalement très mauvaise. Caries, déchaussement, certaines dents étaient même totalement nécrosées. Le contact même prolongé avec l'eau ne peut avoir ses effets. Pour moi, il s'agit d'un sans domicile fixe. Cela ne m'étonnerait pas que les tics et les puces présentes en grande quantité sur le corps étaient là avant la noyade.

— Mais le sac plastique autour de son corps ?

Costal souleva là un point important. Comment pouvait-il être tombé dans l'eau alors même que son corps était pris dans ces sacs plastiques ?

— Sûrement un de ces amis sans domicile fixe qui a souhaité lui donner un rite funéraire aussi digne que possible. Il a dû repêcher le corps au bord de l'eau, lui faire un cercueil de fortune avec ce qu'il pouvait, et le remettre à l'eau. J'ai déjà vu ça sur une prostituée morte d'overdose. Ses amies l'avaient enterrée avec un phare du camion qui lui servait de lieu de travail. Par ailleurs, je dirais même sans savoir le nom du sujet qu'il est d'origine slave, sûrement de nationalité russe.

— Vous voyez ça à certaines particularités physiques ? À la forme de son crâne ? demanda Costal.

— Non, au tatouage sur sa nuque.

Ils s'approchèrent tous les trois de la tête du cadavre et le docteur Tanfin souleva le cou en le déplaçant légèrement sur la gauche. Sur la nuque du cadavre, à l'encre noire, le dessin d'un aigle à deux têtes couronnées.

— Un symbole nationaliste et patriotique dans ce pays, souvent tatoué sur des miliciens ou des militaires russes ayant participé à la guerre de Tchétchénie, reprit le docteur Tanfin.

Jaspin ferma les yeux et baissa la tête. Depuis quelques minutes, il était silencieux. Il sentait la fatigue l'envahir. Finalement, la sentence du docteur Tanfin tomba comme un couperet :

— Je ne sais pas de qui il s'agit messieurs, mais ce corps n'est pas celui de Paul Beruer.

***

Le manque de sommeil était perceptible des deux côtés du lit. Les rayons du soleil s'engouffraient à travers les stores de la fenêtre. Il était temps pour Sophie, comme pour Louis, de faire croire à l'autre que la nuit avait été reposante.

Sophie essaya de se réveiller sous la douche. L'eau chaude coulait sur ses épaules et son regard se perdait dans le vide. Une nuit blanche passée près de celui dont elle venait de découvrir le terrible projet. Le café commençait à couler dans les tasses. Louis préparait le petit-déjeuner. Il fermait les yeux en repensant à cette nuit. Les heures étaient passées en se traînant alors qu'il voyait sans cesse l'image de Sophie devant son ordinateur. C'était un cauchemar. Ce n'était pas prévu. Elle n'aurait pas dû lire ça. Tout s'était si bien passé jusque-là. Louis s'installa à table en versant deux verres de jus d'orange. Sophie sortit de la douche. Elle espérait que les marques de fatigue sur son visage s'étaient effacées. Mais son ventre se serra, en arrivant dans la grande pièce de l'appartement. L'odeur du café était enivrante, mais voir Louis assis à l'attendre, lui était devenu insupportable. Il était comme un inconnu à ses yeux. Un inconnu qu'elle avait cru aimer. Sophie n'était plus sûre de rien. Elle le fixait en y cherchant le souvenir d'un bonheur commun. Mais tout lui semblait étranger. Sophie se mit à courir en direction de la chambre. Elle s'y enferma. Louis se leva, inquiet :

— Sophie ? Tout va bien ?

Pas de réponse. De l'autre côté, Sophie sentait sa gorge se serrer. Elle réfléchit tant bien que mal. Elle était enfermée dans une pièce. Louis l'attendait à la porte. S'il envisageait de lui faire du mal, il était en bonne position. Elle devait sortir de cette situation, le rassurer.

— Oui tout va bien, je dois me dépêcher, je dois arriver en avance aujourd'hui. Je m'habille.

— D'accord, répondit Louis peu convaincu. Tu ne veux pas manger un bout avant de partir.

Elle ouvrit la porte, tout habillée, et se dépêcha de le contourner pour rejoindre la porte d'entrée. Elle mit ses chaussures en se hâtant.

— Non, non, merci, mais je n'ai pas vraiment faim ce matin. Sophie sortit de l'appartement sans plus d'explications, laissant Louis avec beaucoup de questions, mais une certitude. Elle avait lu, et elle savait tout.

Sophie rejoignit la crèche en essuyant ses larmes et en essayant de contrôler les tremblements de ses mains. Elle parvint à cacher ses yeux rouges à ses collègues étonnés de la voir arriver si tôt. Sortir de cet appartement, loin de lui, et se retrouver au milieu de rires d'enfants faisait le plus grand bien à Sophie. Celui qui partage sa vie est un meurtrier. Un meurtrier de sang froid qui prend plaisir à raconter son terrible acte. C'était donc ça, son grand roman ? Avouer son crime au grand jour dans un livre ? Sophie avait passé la nuit à essayer de comprendre cette folie. En vain. Ce n'était pas possible, Louis avait perdu la tête. Ou alors il se lançait dans une absurde performance artistique ? Non, vraiment, Sophie ne reconnaissait pas celui qu'elle aimait. Tout un flot de souvenirs lui revenait en rafale dans la tête. Leur premier regard, leur premier sourire, leur premier baiser, les fous rires et les discussions tard dans la nuit. Les vacances à deux et les silences amoureux. Les flâneries et les sorties au cinéma, les bars et les restaurants. Tout ça lui semblait irréel. Comment aimer cet homme après cela ? Cette nuit, elle avait repensé à son air détaché, annonçant le départ soudain de Paul Beruer, sans plus s'en inquiéter. Son excitation à écrire son roman. Son obstination maladive à écrire. Sa joie de lui annoncer la lettre reçue de Paul. Alors qu'elle venait juste de lire le récit de son crime, et qu'elle savait que le facteur ne leur avait pas donné de courrier ce jour-ci. Elle savait qu'il mentait, mais il le faisait si bien. Avec un naturel désarmant. Et une joie à peine troublée par la cruauté de ses actes. Durant cette nuit blanche, elle voulait se persuader que ce récit était faux, que ce n'était que de la fiction. Mais les faits se rappelaient à elle sans cesse. La disparition de Paul. Cette fameuse lettre qu'elle n'avait jamais vue d'ailleurs. Sophie ne voulait pas y croire. Et pourtant elle ne pouvait plus l'éviter. Midi, il était temps d'accompagner les enfants déjeuner.

Elle venait de claquer la porte, le laissant seul. Louis ne comprenait pas pourquoi Sophie avait agi de la sorte. Elle semblait bouleversée. Serait-ce par ce qu'elle avait pu lire ? Ou était-ce autre chose ? Il est toujours difficile de se lever après une nuit remplie de doutes et de questions. Mais il semblait à Louis qu'une chape de plomb pesait sur tout l'appartement. Le silence était lourd. Ils n'avaient eu aucune tendresse l'un pour l'autre. Pas un mot. Pas un simple regard. Louis sentait un goût acide dans sa bouche. Lors de son départ précipité, il avait cru voir les yeux rouges de Sophie. Sa course vers la chambre était inquiétante. Il pensa à une crise d'angoisse d'abord. Elle s'était enfermée dans cette pièce. Sophie ne voulait pas de lui ? C'était à lui de la rassurer, d'être présent pour elle. Ce n'était pas sa place d'attendre derrière une porte close. Mais désormais, il était seul, assis devant son petit-déjeuner qu'il n'avait pas touché. Louis fixait du regard les deux verres de jus d'orange. La gorge nouée, il rangea la vaisselle et vida les deux verres dans l'évier. Il pensa à aller se recoucher. Mais l'idée de se retrouver dans ce lit, qui fut la nuit dernière un supplice, lui donna la nausée. Il préféra s'asseoir sur le carrelage froid de la cuisine. À quoi bon écrire désormais ? Tout cela n'avait plus de sens. L'intrusion de Sophie dans son travail lui semblait insupportable. Il ne comprenait pas sa curiosité mal placée. Louis se sentait souillé. Elle lui avait volé l'innocence de son travail. Oui, il écrivait sur Paul Beruer. Oui, il racontait sa mort. Comment il l'avait tué. Comment il avait fait disparaître son corps. Louis ne regrettait rien désormais. Revenir avec des mots sur cette terrible nuit l'avait fait réfléchir. Tout était clair. Il n'avait rien à se reprocher. Paul méritait tout cela. Il l'avait volé durant toutes ces années. Ce n'était que justice. Tout était bien. La suite était évidente. Louis se devait de tout raconter. Tout. Ça en était fini des mensonges, de vivre dans l'ombre, il ne devait rester que la vérité. Le public devait savoir qui était vraiment Beruer, et pourquoi il n'est plus. Paul ne devait plus être reconnu comme un formidable auteur. Ce roman était pour Louis, son *mea culpa* au monde et la libération de ses tourments. Après ce livre, tout serait rétabli. Paul Beruer serait mort pour de bon et Louis, plus vivant que jamais.

On sonna à la porte. Louis se leva lentement. Sophie était-elle de retour ? Peut-être pour s'excuser. Il marcha lentement et s'arrêta à quelques mètres, les yeux rivés sur la poignée. Et si Sophie avait prévenu la police ? Si c'était Jaspin de l'autre côté de la porte ? À nouveau, la sonnette retentit. Que faire ? Il était déjà trop tard. Il ouvrit la porte.

— Bonjour Monsieur, j'ai un colis pour vous, vous pouvez signer là, s'il vous plaît ?

Le facteur. Soulagé, mais déçu que ce ne soit pas Sophie, Louis signa sans regarder.

— Merci Monsieur, je crois bien que c'est le colis que votre femme attend depuis quelques jours, lui sourit-il. Et il s'en alla sans percevoir la tristesse dans le regard de Louis.

Il ouvrit le colis d'un geste mécanique. Il ne lui vint pas à l'esprit qu'il était destiné à Sophie. Après tout, elle fouillait dans ses affaires, il pouvait faire de même. Un foulard aux variantes de bleu. Louis le prit entre ses mains. La douceur du tissu glissait entre ses doigts. Comme un réflexe, il le sentit, mais rien. Sophie ne l'avait pas encore porté. Il se souvient qu'au début de leur relation, il aimait sentir son odeur partout sur ses propres vêtements. Elle sentait le miel et la lavande. Sophie était ainsi toujours un peu avec lui. Bientôt, il ne pouvait plus se passer d'elle. Tout était prétexte à la voir, à la faire rire et à l'embrasser. Il l'avait aimée au premier regard. Il n'avait jamais cessé depuis. Pour la première fois ce matin, il se posait la question pourtant. Midi, il était temps de manger. Il n'avait pas faim.

Aujourd'hui, aucun enfant ne refusa d'aller à la sieste. Sophie n'avait pas eu le temps de repenser à Louis ce matin. Les activités s'étaient enchaînées, les pleurs et les rires avaient occupé toute l'attention de Sophie. Il était désormais temps de la sieste et des questions. Pouvait-elle seulement rester avec lui ? Elle n'avait pas supporté sa simple présence ce matin. Elle avait besoin de comprendre, de réponses à ses questions. En rentrant, Sophie lui avouera avoir lu son roman. Il sera alors temps d'entendre son explication. De comprendre s'ils ont encore un futur à deux. Au réveil des enfants, il était prévu de regarder des dessins animés tous ensemble. Ils étaient surexcités et pleins d'énergie après ce repos réconfortant. Assis en rond, ils attendaient impatiemment les yeux rivés sur l'écran. La télévision s'alluma sur une chaîne d'information. En bas, un bandeau d'annonce : « *Le corps de Paul Beruer retrouvé dans la Seine* ». Une collègue de Sophie changea rapidement de chaîne. Les enfants n'avaient pas à voir ça. Les yeux de Sophie s'emplissaient de larmes. Elle avait eu le temps de lire. C'était réel. Une infime partie d'elle espérait secrètement que tout cela n'avait jamais existé. C'était un cauchemar, une mauvaise blague. Mais le corps de Beruer avait bien été retrouvé dans la Seine, comme l'avait écrit Louis. Celui qu'elle avait tant aimé était un meurtrier. De sang-froid. Capable sans aucun remords de continuer sa vie comme si de rien n'était. Se délectant avec plaisir de décrire par écrit son acte odieux dans les moindres détails. Sophie sentit ses jambes fragiles et se laissa tomber sur une chaise. Elle dit à un collègue qu'elle ne se sentait pas bien et quitta la crèche d'une démarche mal assurée. Sans savoir où aller.

Louis resta longtemps à fixer le plafond dans son canapé cet après-midi-là. Un flot d'idées et de pensées se bousculaient dans sa tête. Que faire ? Il était sûr que Sophie était au courant désormais. Son comportement de ce matin n'avait rien de normal. Elle était perturbée par ce qu'elle avait lu la veille. De nouveau, cette image de Sophie, assise devant son ordinateur. Louis ne pouvait lui en vouloir. N'importe qui serait un tant soit peu dérangé après avoir lu la description d'un meurtre. Sophie en savait trop désormais. Que faire ? Louis pensait que Sophie serait toujours de son côté et comprendrait son choix de publier ce livre. Il comptait lui en parler et le lui faire lire, une fois terminé. Mais Louis se trompait peut-être. Et si elle prévenait la police ? Il repensait à ce facteur sonnant à la porte. Cela aurait pu être le commissaire Jaspin. Louis se refusait à croire que tout cela pouvait se terminer ainsi. Il devait terminer ce livre. Épuisé de sa nuit, Louis tomba dans un lourd sommeil sur son canapé. Il se réveilla en fin d'après-midi dans un sursaut. Son cœur battait fort, comme s'il venait de courir. Les vibrations de son téléphone comme réveil. Une pluie de notifications. La première suffit à garder son cœur sur le même rythme : « *Le corps de Paul Beruer retrouvé dans la Seine* ». Louis lisait encore et encore ces quelques mots. Il n'y croyait pas. Non seulement un corps avait été retrouvé, mais il avait pu être identifié. Jusqu'alors, Louis espérait que le corps ne serait jamais retrouvé. Ou bien des semaines, voire des mois plus tard. Un moment où le corps serait méconnaissable. Mais là, l'enquête était plus que relancée. Il ne s'agissait plus d'une disparition mystérieuse, mais d'un meurtre. Il venait de donner à Jaspin une lettre d'Argentine signée Beruer. Le commissaire allait le suspecter. Comment est-ce possible que le corps de Paul ait pu être retrouvé ? Louis sentait son souffle s'accélérer. Il pensait à Sophie. Elle avait lu. Elle savait tout. Et maintenant le corps de Paul retrouvé dans la Seine comme la suite logique de ce qu'elle avait découvert sur son ordinateur. Que faire ? Il se répétait cette question en boucle dans sa tête. Que dire à Sophie ? Il fallait tout lui dire, tout lui avouer. Elle avait le droit de savoir. Mais si elle ne comprenait pas ? Si Sophie allait voir Jaspin ? Alors il faudrait la tuer. Avant qu'elle lui fasse tout perdre. L'empêcher de parler. Ne pas risquer de tout perdre. Aussi vite qu'il venait de penser à cet acte horrible, il choisit de ne plus en tenir compte. Comment pouvait-il penser à tuer celle qu'il aime ?

Sur le palier, un bruit. La voix de Sophie. Cette voix aussi puissante que douce qu'il aime tant. Elle discutait avec le voisin.

— Vous êtes sûre que vous ne voulez pas de mes timbres, mademoiselle ?

— Non, Monsieur vraiment c'est gentil, mais non. Sophie essayait de lui sourire. Il était difficile de lui dire non alors même qu'il lui tendait son album.

— Votre conjoint a regardé un long moment ceux d'Amérique du Sud, peut être veut-il vous y amener, prenez-en quelques-uns.

— Il a regardé les timbres d'Amérique du Sud ? Sophie sentit d'un coup tous ses sens en alerte.

— Oui mademoiselle, de longues minutes, mais…

Sophie ne l'écoutait plus et déjà elle rentrait avec fracas dans l'appartement.

— Il faut qu'on parle, lâcha sèchement Sophie. Louis était soulagé de l'entendre dire ça. Elle avait raison, il fallait crever l'abcès, mettre les choses au clair. Sophie posa son sac, en regardant Louis. Elle y cherchait le moindre signe de culpabilité. Elle n'y vit que les traces d'un aveu quand il lui répondit :

— Écoute, je sais ce que tu as lu sur mon ordinateur.

— Tu as tué Paul, coupa-t-elle le souffle court.

— C'est plus compliqué que cela, Sophie.

Elle n'en revenait pas. Il n'avait aucun remords. Il ne comprenait pas la gravité de ses actes.

— Tu l'as tué et tu as jeté son corps dans la Seine !

Sophie n'en revenait pas d'assener une vérité aussi terrifiante.

— Sophie, écoute-moi…

Louis voyait bien la détresse dans le regard de Sophie. Il devait tout lui dire. Il s'approcha d'elle, mais comme un réflexe elle se recula d'un pas en se tenant droite.

— Sophie, laisse-moi tout t'expliquer, viens assis toi, je t'en prie.

— Je n'arrive pas à y croire, je dois être en train de rêver, dis-moi que c'est un cauchemar Louis et que je vais me réveiller.

— Paul ne reviendra pas, ce qui est fait est fait. On ne peut plus revenir en arrière.

Sophie le dévisagea. Il avait l'apparence d'un monstre. Un monstre de sang-froid. Elle était terrifiée. Louis n'était plus celui qu'elle avait tant aimé.

— Écoute, tu pourras aller voir la police, mais laisse-moi d'abord publier mon livre, après je partirai.

— Où comptes-tu partir ?

— Je ne sais pas. Loin de Paris.

Sophie pensait que Louis avait perdu la raison. Comment pouvait-il seulement espérer sans sortir aussi facilement ?

— Si je ne te dénonce pas Louis, je serai complice, tu comprends ça ?

— Pas si tu oublies de leur dire que tu as lu mon récit.

— Je ne pourrai pas mentir à la police comme tu le fais, Louis. Cela m'est impossible.

Les larmes commencèrent à rouler doucement sur les joues de Sophie.

— Je te demande simplement d'attendre, de faire preuve d'un peu de patience.

— De patience ? Tu as tué un homme, Louis.

Sophie n'en revenait pas. Le calme de Louis lui glaçait le sang.

— Et cette lettre ? D'où sort cette lettre ? Tu as copié son écriture et tu as fait croire qu'elle venait d'Argentine avec les timbres du voisin, c'est cela ?

— Les timbres du voisin ? Je n'ai pas pris de timbres au voisin, écoute je t'expliquerai tout à la sortie de mon livre, je te demande juste un peu de patience.

— Comment puis-je seulement te croire encore ?

— Sophie…

— Ça en est trop pour moi, Louis.

Sophie se dirigea d'un pas rapide vers la chambre sans lui donner un regard. Louis la suivit. Elle ferma à clé la porte de la chambre. C'était la deuxième fois aujourd'hui qu'elle s'enfermait pour lui échapper. Tout était fini, pensa Louis. Elle allait le dénoncer. Il ne pouvait pas imaginer cela. Comment tout avait pu lui échapper si vite ? Tout était prévu. Il fallait désormais tout changer. Faire en sorte que Sophie ne parle à personne. Surtout pas à la police. Il était temps de tout lui dire.

— Sophie, ouvre-moi, laisse-moi t'expliquer.

Silence. Louis colla son oreille à la porte. Pas un bruit.

— Je vais tout te dire, tout t'avouer. Laisse-moi entrer s'il te plaît.

Après de longues minutes, Sophie ouvrit enfin la porte. À sa main, une valise. Louis sentit une douleur en lui. Comme des coups de poignard entre ses côtes.

— Ne t'en vas pas je t'en supplie, dit Louis d'une voix tremblante.

Sinon quoi ? Tu vas me tuer moi aussi ? Les sanglots venaient se mêler à ses larmes.

Plus rien ne pouvait la retenir. Elle passa devant lui sans un regard et partit en claquant la porte. Louis était à nouveau seul dans cet appartement vide.

Chapitre 9

La rue Saint-Jacques est l'une des plus belles rues de Paris. Depuis la Seine, elle semble sans fin. À son sommet, elle croise la rue Soufflot et le Panthéon. Mais en réalité, elle coupe tout le Quartier latin en deux. C'était l'axe majeur de la ville gallo-romaine, la *Via Superior* de Lutèce. Au Moyen Âge, cette rue était empruntée par les pèlerins que se rendaient à Saint-Jacques-de-Compostelle. La Grosse Bertha l'a touchée en 1918, laissant un trou béant devant le lycée Louis-Le-Grand. En face de ce bâtiment, la Sorbonne, cœur intellectuel de Paris, et plus bas, le Collège de France. Plus haut que tout autre chose sur cette voie, l'observatoire de la Sorbonne semble veiller sur Paris. Puis c'est Cluny, son histoire et ses librairies. Mais Jaspin n'était pas venu ici pour faire du tourisme. Il se gara à côté de l'église Saint-Séverin.

Le trajet de la morgue au commissariat s'était fait dans un silence religieux. À peine arrivé, il prit un dossier dans son bureau et remonta dans sa voiture.

— Où allez-vous commissaire ?

— J'ai une course à faire, je reviens.

— Vous voulez que je vous accompagne ?

— Non, merci Costal, je reviens, attends-moi.

Tant de temps perdu sur un corps qui n'était pas celui de Paul Beruer. Bien que bouffi, il avait pourtant cru reconnaître le visage de l'écrivain. Cette enquête n'avançait pas. Il pensait aux médias, qui prenaient plaisir à relater chaque nouvel élément, vérifié ou non, de cette affaire. Comment faire sans plus d'indice et sans corps ? Soit Beruer était mort, et l'enquête avait besoin de sa dépouille pour commencer une investigation pour meurtre, soit il était toujours en vie. En Argentine ? Comme dans la lettre envoyée à son ami et nègre

122

littéraire ? Le signalement de sa disparition n'avait rien donné. Jaspin avait une autre théorie. Mais pour la vérifier, il devait à nouveau rendre visite à un ami. Un ami qu'il n'avait pas vu depuis bien longtemps. Il traversa le boulevard Saint-Germain et longea la rue aux écoles, une éclaircit frappait les pierres du bâtiment principal de la Sorbonne. Il montra son insigne à un appariteur à l'entrée. Jaspin savait où il allait. Son pas lent et lourd résonnait dans les couloirs vides. Dans le grand escalier, quelques étudiants rigolaient. Arrivé à l'étage supérieur, Jacques Jaspin était essoufflé. Il était loin le temps où il pouvait courir après un suspect en fuite. Un simple escalier suffisait à le mettre à la peine. Il arriva enfin devant l'amphithéâtre. Toujours le même. Rien qu'à entendre sa voix, Jaspin savait qu'il était au bon endroit. La porte donna sur le haut du grand amphithéâtre. Il se glissa discrètement au dernier rang. Presque toutes les places étaient occupées par des élèves captivés. Tout en bas, sur l'estrade, une silhouette massive, engoncée dans un costume trois-pièces de couleur beige. Gerald Vatel est l'un des plus grands professeurs de cette prestigieuse université. Diplômé de Cambridge et de l'École Normale Supérieure, il avait passé quelque temps à Sciences Po en dilettante avant de finir major à l'agrégation d'histoire et de présenter sa thèse de doctorat à vingt-quatre ans. Il jouait de sa grande taille et de sa voix grave pour asseoir son charisme. Une large mèche d'un noir intense lui couvrait le front. Les premiers rangs se noyaient dans ses petits yeux vifs qui balayent son audience avec vigilance. Vatel avait toujours ce petit sourire espiègle, caractéristique de ceux qui sont certains de leur intellect. Depuis plus de vingt ans désormais, il était mondialement reconnu comme un des plus grands spécialistes de l'histoire des symboles. Lui-même se définissait comme un *admirateur des signes du Temps qui passe*. Mais cette dénomination poétique n'avait pas plu à son éditeur. Trop pompeux. Sur la quatrième de couverture de son livre, *Ces signes à admirer*, ils s'étaient entendus sur une formule plus claire : Professeur d'histoire, expert en symbologie. Vatel s'en était accommodé en voyant les chiffres de ventes grimper au fil des années. Plusieurs dizaines de milliers d'exemplaires écoulés à travers le monde, traduit en six langues. Un record pour un livre d'universitaire. Vatel était intelligent, charismatique, beau, et riche. Mais ce qu'il préférait être, c'était le centre d'attention de ses étudiants :

— Mes chers amis. Mes chères amies, insista-t-il en se penchant légèrement vers deux filles au premier rang. Les deux étudiantes baissèrent la tête en ricanant.

— Mes chers amis, rappelez-vous que tout ce que vous apprenez dans ce bel établissement n'est fait que de signes. Ces derniers portent des noms. On les appelle aujourd'hui marques, logos, icônes, ou même émoticônes, ceux-là même que vous vous échangez sur vos téléphones quand vous ne m'écoutez pas attentivement. Ils ont des noms tous ces signes. Pour une bonne raison. Parce qu'ils existent, parce qu'ils sont vivants. Ils vivent autour de nous et forment notre culture, notre époque, ils sont porteurs de sens. Et c'est bien là que le signe devient symbole. Plus seulement dans ce qu'il est, mais aussi dans ce qu'il représente. Le symbole nous donne à voir une autre réalité. Plus profonde. Plus caché. Vous comprenez tous que la couleur verte représente la nature quand le lion incarne le pouvoir.

Là où le signe se veut clair et simple. Le signe nous montre une réalité que nous pouvons voir, lire et comprendre d'une tout autre manière. Mais méfiez-vous mes chers amis de cette réalité première. Rappelez-vous de ces hommes enfermés au fond de la caverne, qui chez Platon, adorent des ombres informes qui n'ont rien de réel. Essayez sans cesse d'aller au-delà des signes, imaginez ce qu'ils vous cachent. Grattez la surface, osez concevoir d'autres possibilités. Quand un signe vous dit « blanc », imaginez le « noir », juste pour voir si c'est possible. Ne vous contentez pas de ce que vous pouvez lire. Ce que je veux que vous reteniez de mon cours, c'est que le monde se construit autour de vous, et il se fera sans vous tant que vous ne vous donnerez pas la peine de le remettre en question. Votre esprit critique doit s'attarder sur les signes et y découvrir leur sens symbolique, et ainsi, vous ne serez plus simplement des spectateurs passifs, mais bien des acteurs de premier plan. Mais vous savez déjà comment vous y prendre pour cela. Il vous faut d'abord écouter mon cours avec attention et ensuite il vous suffit d'aller à la librairie, et d'acheter mon livre ! Ramenez-le à la fin du cours et je vous le dédicacerai ! Ma signature n'est-elle pas le plus beau signe sur cette Terre, mes chers amis ?

Une vague de rires se propagea, suivie d'applaudissements dans l'amphithéâtre, avant que les étudiants ne se lèvent pour quitter le cours. Plusieurs dizaines d'entre eux se jetèrent sur le professeur Vatel, l'assaillant de questions et de demandes de dédicace de son livre. Le commissaire Jaspin attendit patiemment en haut de l'amphithéâtre que les admirateurs, et surtout les admiratrices, s'en aillent. Alors que le silence s'installait à nouveau dans le grand amphithéâtre, Vatel plisse les yeux pour observer au dernier rang, cet étrange étudiant, qui n'avait plus l'âge de l'être.

— Ça alors ! Vous ici ? lança Vatel de sa voix puissante. Jaspin descendit lentement les marches.

— Que me vaut cet honneur commissaire ?

— Arrête Gerald, ne m'appelle pas comme ça, tu n'as pas le droit toi, sourit Jaspin en descendant. Les deux hommes se prirent dans les bras.

— Cela faisait longtemps Jacques, trop longtemps ! Comment vas-tu ?

— Bien et toi ? Toujours à raconter tes balivernes à des pauvres jeunes innocents ?

— Tu as fleuri la tombe du paternel récemment ?

Les deux hommes rirent d'un air entendu.

— Il est bien là où il est celui-ci, ne le dérangeons pas.

Gerald Vatel était le frère de Jaques Jaspin. De dix ans son cadet, il aurait pu mal finir, tout comme Jacques. Surtout quand ce dernier a quitté le domicile pour l'école de police. Leur père alcoolique a dès lors eu la main encore plus lourde sur la bouteille et sur leur mère. Elle finit par se laisser mourir de chagrin. Les services sociaux ne laissèrent pas l'enfant seul avec ce père dangereux. Gerald Jaspin fut élevé par sa tante. Un nouveau foyer rempli de joie et d'amour. Et de livres.

Gerald les dévorait. L'un après l'autre, sans s'arrêter. À dix-sept ans, il obtenait son baccalauréat mention très bien et changeait de nom.

Plus question de porter son nom. Il avait déjà bien trop de souvenirs de sa large ceinture de cuir sur son corps d'enfant. Il choisit Vatel. Fasciné par ce maître d'hôtel de génie, mort de ne pas avoir pu supporter sa médiocrité. Cela allait devenir sa ligne de conduite ; être brillant en tout, partout, pour ne jamais ressembler à son père. Jacques avait été gêné au début par ce changement de nom. Lui qui l'avait conservé. Mais il était fier de son petit frère. Il avait été l'un des premiers à acheter son livre, même s'il ne le lui avait jamais avoué, et sans jamais se l'être fait dédicacer.

— Dis-moi, j'ai besoin de tes lumières sur une enquête.

— Pas de soucis, montre-moi donc. Jaspin sortit de son dossier la lettre de Paul Beruer, et la déposition de Louis Armand.

— Qu'est-ce que tu peux me dire de cette écriture ?

Jaspin connaissait le goût de son frère pour l'écriture manuscrite. Il aimait le tracé noir et fin de l'encre. En parallèle de ses activités de chercheur, de professeur et d'écrivain à succès, Vatel se passionnait pour la graphologie. Pour beaucoup, c'était une pseudoscience. Pour lui, c'était un art. Il était persuadé que cette étude précise de l'écriture de quelqu'un permettait d'apprendre bien des choses sur ce qu'il est. Il aimait à dépenser sa fortune en manuscrits et autres brouillons de grands écrivains. La semaine dernière, il s'était offert une lettre de Louis-Ferdinand Céline, et il passait depuis, ses soirées à chercher dans ses pleins et ses déliés, les traces de toute la psychologie de cet écrivain. Oui, Vatel n'avait pas les mêmes passe-temps que la plupart des gens.

— Du papier de bible ! Quel luxe, un très bon choix !

Vatel vit tout de suite la signature.

— Paul Beruer ? Tu enquêtes sur sa disparition ?

— Oui et pour tout te dire, cette lettre est le seul élément plausible de cette affaire.

— Je vois, que veux-tu savoir en particulier ? demanda Vatel en plissant les yeux et en lisant attentivement la lettre.

— Peux-tu me dire si elle a été écrite sous la contrainte ?

— La contrainte ?

— Oui, est-ce que l'on a pu l'obliger à écrire cette lettre, par la force ?

— Je n'y vois pas de traces de peur, plutôt de l'assurance à vrai dire.

— De l'assurance ? À quoi vois-tu cela ?

— Regarde plutôt, tu vois l'écriture est serrée, ramassée sur elle-même, on pourrait penser à quelqu'un d'une timidité maladive, mais pas ici. Toutes les lettres ont la même taille. Signe de quiétude et d'un certain flegme. On retrouve là, toutes les personnes dotées d'une grande faculté d'observation. Souvent, cette écriture est caractéristique des intellectuels. Pas étonnant pour un écrivain. Mais cela peut aussi traduire un sentiment de solitude, de mal-être en société. Cela ne l'empêche pas d'avoir confiance en lui. Regarde, le papier est épais et pourtant le trait est appuyé, il s'enfonce sans peine. Les lettres sont tracées avec précision et régularité. Le résultat obtenu forme finalement un ensemble équilibré et agréable à regarder. Cela témoigne d'une grande aptitude à décider rapidement. D'une vivacité d'esprit remarquable. C'est l'écriture de ceux qui ont un caractère énergique, volontaire, et qui ont tendance à dominer les autres.

Jaspin semblait un peu perdu par les explications de son frère, même s'il semblait y déceler par moment certains des traits de caractère de Paul Beruer. Il lui tendit le procès-verbal, signalant la disparition de Beruer, signé par Louis Armand.

— D'accord, donc pas écrit sous la contrainte.

— Non les traits sont précis, nets, ils témoignent d'une aisance…

— Oui oui j'ai compris Gérald. Et peux-tu me dire si c'est la même personne qui a signé ce document ?

— *Lu et approuvé* ? C'est mince Jacques ça pour un examen complet, ce n'est même presque rien.

— Sans me sortir tout son pedigree, regarde, les deux écritures se ressemblent drôlement non ? Mais est-ce la même personne selon toi ?

— C'est peu pour le dire avec certitude bien sûr, mais je ne pense pas non.

— Comment ça ?

— On dirait plutôt une copie. Convaincante certes, mais une pâle copie.

— Tu veux dire que celui qui a écrit ce *Lu et approuvé* a essayé de copier l'écriture de Beruer ?

Ça y est. Il le tenait. Cette lettre était fausse, Jaspin le savait depuis le début. Ce Louis Armand était trop louche pour être honnête, trop calme pour n'avoir rien à se reprocher. Il avait essayé de copier l'écriture de Beruer et était venu lui agiter cette preuve sous le nez pour clore l'affaire. Puis il s'était débrouillé pour bidouiller une fausse expédition de la lettre depuis l'Argentine.

— Non je pense que c'est plutôt l'inverse Jacques. Ce *Lu et approuvé* est une imitation de l'écriture de la lettre. La forme des lettres est identique, à nouveau il s'agit de traits fins et précis. Mais l'écriture n'est pas aussi appuyée. Regarde, même sur ce papier de piètre qualité, l'encre n'a pas marquée en profondeur. C'est une personne en plein doute. Son écriture effleure le papier comme pour ne pas se faire remarquer. Je reconnais que c'est bluffant cette ressemblance dans le tracé, mais pour moi il s'agit de deux personnes différentes.

Une nouvelle fois, Jaspin n'avançait pas dans cette affaire. Dans l'après-midi, tous les médias ne parlaient plus que de la découverte du corps de Paul Beruer. Les rumeurs vont plus vite que les faits. Il passa le reste de la journée à ruminer la même question dans son bureau : comment Beruer peut-il envoyer une lettre d'Argentine sans laisser de trace sur les registres d'une compagnie aérienne ? Cela le rendait fou. De ne pas comprendre. La journée se termina avec plus de questions que de réponses.

***

Sophie s'était réveillée dans le salon de Léa. Elle avait passé la nuit sur son canapé, après avoir quitté Louis. Elle n'avait que trop peu dormi. Léa l'avait accompagné jusqu'à cette salle d'attente mal chauffée. À côté d'elles, sur leur droite, une dame d'un certain âge pleurait en répétant d'une voix tremblante qu'on lui avait volé son sac à la sortie du métro. En face, un homme en costume gris, légèrement dégarni, qui ne semblait pas à l'aise si on en juge à ses yeux ronds et son front plissé de rides. Sur leur gauche, un homme aux bras tatoués d'un calme olympien. Un habitué, pensa Sophie. Les policiers passaient devant eux sans leur prêter la moindre attention. Il était tôt, mais déjà le commissariat se remplissait. Après plusieurs minutes, un grand homme brun se dirigea vers elles :

— Sophie Delmain ? demanda Costal.

— Oui, répondit Sophie.

— Vous venez pour l'affaire Beruer, c'est bien cela ? Sophie acquiesça, et Costal l'invita à la suivre.

— Excusez-moi, lança l'homme en costume, en se levant, je viens également pour parler de Paul Beruer.

— Vous êtes ?

— François Lecamp. Son éditeur.

Costal eu un temps d'arrêt. Il connaissait ses moments. L'intuition du flic peut-être. C'était un de ces instants où une enquête bascule. Rien n'avançait et soudain deux témoignages. Bien sûr, le commissariat avait reçu une centaine d'appels sur cette affaire, de personnes persuadées de l'avoir vu déguisé en éboueur, ou sacrifié lors d'un rite sataniste. Toute enquête médiatique attirait ce genre de témoignages, mais là, son éditeur, c'était autre chose. Léa fit signe à Sophie qu'elle l'attendait là, même si elle savait que la dame âgée ne lui serait d'aucune aide si soudainement l'homme aux bras tatoués perdait son sang-froid.

Ils entrèrent tous trois dans le bureau de Jaspin qui les invita à s'asseoir devant lui, alors que Costal resta debout. Une fois les présentations faites, le commissaire commença :

— Vous avez de nouveaux éléments à nous communiquer madame Delmain c'est bien cela ?

— Oui. Je suis la compagne de Louis Armand. Ou plutôt j'étais. Je ne sais pas à vrai dire. La voix de Sophie se serra. Jaspin se tourna vers Costal. Il le savait, il était sur la bonne voix avec ce mystérieux Louis Armand.

— Je sais qu'il est déjà venu vous voir, qu'il vous a signalé la disparition de Paul Beruer. Je sais aussi que vous savez qu'il s'agit de son nègre littéraire.

— Nom de Dieu, ne put se retenir François, qui n'avait sans doute pas juré depuis des années. Il venait de comprendre. Ce nom. Louis Armand. Tout était clair à présent.

— Ce Louis Armand est le nègre littéraire… de Paul ? demanda François, pour être certain d'avoir bien entendu.

— Depuis des années, depuis *L'admirateur*.

François était sous le choc.

— C'était donc ça… Louis Armand. Il existe vraiment donc ?

— Vous connaissez Louis Armand, monsieur Lecamp ? demanda Costal. François s'empressa de fouiller la poche intérieure de sa veste.

— J'ai reçu cette lettre de Paul, il y a quelques jours. C'est pour cela que je venais vous voir. Mais entre nous, je pensais que c'était un pseudonyme. Paul a toujours eu du mal avec sa notoriété. Je pensais que c'était un moyen d'être publié en évitant tout le tapage médiatique qui le pèse depuis des années.

Jaspin lit le mot de Paul Beruer à son éditeur, s'attardant sur la forme des lettres. Il aurait aimé que son frère soit là. Il nota cependant que ce n'était pas le même papier épais utilisé pour sa lettre à Louis. Celui-ci était des plus ordinaires. Il sortit la lettre de Beruer. C'était sensiblement la même écriture.

— Je pense que cette lettre est de Louis, lança Sophie, avec courage. Elle n'en revenait pas de dire tout cela avec une telle aisance. Elle sentait qu'elle faisait ce qui était juste. Tant pis pour les conséquences. Elle devait se libérer de ce poids, trop lourd pour ses épaules.

— On a un voisin insistant qui est philatéliste, reprit-elle, il cherche régulièrement à nous donner des timbres, je pense que Louis lui en a pris un d'Argentine pour mettre en scène sa disparition et envoyer cette lettre. Et qu'il a fait de même pour votre mot.

Les yeux de François n'avaient jamais été aussi exorbités. C'était comme si tout son monde venait de basculer dans une nouvelle réalité. Ce fut autour de Sophie de comprendre. Les éléments s'assemblaient. Face au silence pesant qui régnait dans ce bureau, Sophie se sentit obligée de continuer :

— Quand j'ai appris pour la mort de Beruer...

— Oui, coupa Jaspin, le corps de Paul Beruer. Jaspin choisit de mentir par omission. Costal voyait bien que Jaspin ne souhaitait pas en dire davantage sur le sujet.

— J'ai eu une discussion avec Louis.

Sophie baissa les yeux.

— Il n'a pas démenti.

— Reprenons, dit Jaspin d'un ton calme. Louis Armand tue Paul Beruer et se débarrasse de son corps dans la Seine. Mais pourquoi ?

Costal inspira profondément en constatant que le commissaire laissait entendre que le corps retrouvé était celui de Beruer. Jaspin lui lança un regard entendu, l'invitant à ne rien dire. François ne s'était toujours pas remis de l'existence de ce nègre littéraire, il se refaisait le fil de ces dernières années, comme s'il les voyait différemment désormais. Une nouvelle fois, ce fut Sophie qui semblait détenir toutes les clés de cette affaire.

— Ils n'étaient plus en très bons termes depuis un certain temps. Louis souffrait de ne pas être reconnu publiquement pour son travail. Ils devaient dîner ensemble chez Paul, la veille de la disparition de Paul Beruer, pour se parler franchement. Le lendemain, Louis m'avait dit que Paul avait annulé au dernier moment.

Jaspin se souvenait du voisin de Beruer dire qu'il y avait eu du bruit cette nuit-là, les voix de deux hommes.

— Il n'y pas que ça commissaire, poursuivit Sophie, le livre que prépare Louis, je pense que c'est le récit du meurtre de Paul.

Un silence pesant s'installa dans le bureau du commissaire Jaspin. Personne n'osa dire un mot. Sophie prit sur elle, et continua :

— Je l'ai lu sur son ordinateur... il raconte qu'il l'a poignardé au cours de ce dîner, puis qu'il a jeté son corps dans la Seine.

La peur faisait partie du métier de flic. Avec les années, Jaspin avait appris à vivre avec, à la contrôler. Mais là rien à faire. Il était face à un tueur de sang-froid, s'amusant à raconter son crime noir sur blanc. Un jeune homme bien propre sur lui, qui avait signalé la disparition de Beruer. Le même qui s'était assis là, face à lui, en gardant un calme exemplaire. Il fallait l'arrêter et au plus vite.

— Madame Delmain, savez-vous où Louis Armand se trouve en ce moment même ?

— Il doit être dans notre appartement. Sûrement à écrire.

— Je vais demander un mandat d'arrêt au plus vite contre lui au procureur. D'ici là, s'il souhaite entrer en contact avec l'un d'entre vous, faites-le-moi savoir immédiatement.

Il tendit à Sophie et François une carte avec ses coordonnées.

— Madame Delmain, je vous place dès maintenant sous protection policière. On ne sait pas de quoi il est capable. Vous êtes chez une amie actuellement c'est bien ça ? Sarah, une collègue vous suivra en civil pour votre protection.

Le commissaire Jaspin les salua en les raccompagnant à la porte de son bureau. Costal posa sa main sur le bras de Jaspin :

— Commissaire, vous savez très bien que ce n'est pas le corps de Beruer.

— Oui, mais eux ne le savent pas.

— C'est un vice de procédure, on ne sait même pas si Beruer est vraiment mort.

— Il a un mobile, il a écrit ces lettres, et il était avec Beruer le soir de sa disparition. Il te faut quoi de plus Costal ?

Le capitaine fuyait du regard les yeux sévères de Jaspin. Il savait que le commissaire était parfois plus que limite sur le respect des règles et des procédures. Mais là, ça s'apparentait plus à une chasse à l'homme.

***

Léa prit Sophie dans ses bras et elles quittèrent ensemble le commissariat, suivi par Sarah, leur protection policière désormais. François Lecamp était plus que perturbé par ce qu'il venait d'apprendre. Non seulement il venait de perdre un ami, mais ce dernier lui mentait depuis des années. Paul Beruer avait un nègre littéraire. Un nègre qui venait de le tuer. François se souvenait du regard de Paul, brillant d'espoir, en lui donnant le manuscrit de *L'admirateur.* Ensemble, ils avaient porté ce projet jusqu'au Renaudot, la plus belle réussite de sa carrière. Il ne se doutait pas alors qu'un troisième homme existait. Il se sentait trompé. Quelle avait été l'importance de ce Louis Amand dans l'écriture des derniers livres ? S'agissait-il d'un simple relecteur, du co-rédacteur ? Paul réécrivait-il des idées, des nouvelles de ce jeune nègre littéraire ? François souhaitait sincèrement connaître toute la vérité sur cette histoire. Ce manuscrit de Louis Armand qui devait lui parvenir. Le récit du meurtre de Paul. Son corps jeté à la Seine. François sentit la nausée monter. Il décida de s'offrir un bon repas dans une brasserie parisienne, boulevard Saint-Germain, afin de penser à autre chose. Il déjeuna, seul, en silence, à regarder les passants. François n'en revenait toujours pas de sa matinée. Lui, un éditeur connu et reconnu, mêlé à une affaire de meurtre. Le fait divers qui animait les discussions dans tout Paris. Il retourna au travail vers deux heures de l'après-midi, encore bouleversé par les récents évènements.

— Eh bien monsieur Lecamp ne se fatigue pas trop aujourd'hui, lui lança sa secrétaire, d'un air malicieux.

— Ne commencez pas s'il vous plaît Nathalie, ce n'est pas le moment. François avait retrouvé son air bougon, ce qui la fait sourire.

— Un homme vous attend dans votre bureau.

— Qui ça ? Je n'ai pas de rendez-vous cet après-midi.

— Un beau jeune homme, pas mal dans son genre, si vous voulez mon avis. Il a dit que c'était très important et que vous ne refuseriez pas de le voir. Il m'a donné son nom, attendez...

Nathalie consulta les nombreux post-it qui recouvraient son bureau.

— Ah le voilà : Louis Armand. Vous le connaissez ? Je veux bien son numéro de téléphone si vous l'avez...

François Lecamp se figea.

— Monsieur Lecamp ? Vous allez bien ?

— Parfaitement, Nathalie. Il lui tendit une carte de visite.

Appelez ce numéro, demandez le commissaire Jaspin. Dites-lui que Louis Armand est dans mon bureau en ce moment même. C'est très important, merci.

Quand François entendit que Louis Armand était dans son bureau, il eut d'abord peur pour sa vie. Puis il réfléchit. Louis Armand ne souhaitait qu'une chose : être publié. Il n'avait nullement l'intention de venir le tuer, surtout à son bureau, en plein jour, à la vue de tous. François n'avait plus le choix, il devait le rencontrer. Un mélange d'appréhension et d'excitation parcourut son dos. Il entra dans son bureau, d'un air aussi naturel que possible.

Louis était assis là, en face du bureau, les jambes croisées, une chemise mal repassée, et un sourire tranquille.

Louis se leva pour le saluer :

— Bonjour monsieur Lecamp, Louis Armand, c'est un honneur, je suis ravi de vous rencontrer.

François lui serra la main, se forçant à lui rendre son sourire. Louis avait passé la matinée à écrire. Puis il avait imprimé le début de son manuscrit et posait désormais une pile de papier sur le bureau de François Lecamp. L'éditeur s'approcha pour lire le titre écrit en gros sur la première page. Louis posa dessus une clé USB.

— Si vous préférez, la version numérique.

— Non le manuscrit ira très bien, répondit François.

***

— Oui allô ?

— Commissaire Jaspin ?

— Lui-même.

Nathalie était ravie de tomber directement sur lui.

134

— Commissaire, je suis Nathalie, l'assistante de monsieur Lecamp, il me dit de vous dire qu'un certain Louis Armand est dans son bureau.

Pour seule réponse, elle entendit hurler un lointain « Costal ! » puis Jaspin lui précisa :

— Retenez-le autant que possible, nous arrivons au plus vite.

***

François regardait les gens passer dans le couloir à travers la cloison de verre de son bureau alors que Louis se présentait :

— Paul Beruer vous a écrit à mon propos, m'a-t-il dit. Avez-vous reçu sa lettre ?

— Oui en effet, je n'ai pas très bien compris, mais oui, il semble vous recommander c'est bien cela ?

— Tout à fait monsieur. Je vous adresse mes condoléances à ce sujet, j'ai appris tout comme vous son décès. Sa disparition est aussi une déchirure pour moi.

— Comment l'avez-vous connu ?

— Je lui avais adressé un de mes manuscrits il y a de cela plusieurs années, nous sommes devenus amis depuis.

— Il ne m'avait jamais parlé de vous auparavant.

— Vous connaissez Paul, il était très secret, sourit Louis.

— Son mot dit que votre manuscrit est pour le moins original.

— Comme tout roman où l'auteur est sincère, vous ne pensez pas ?

— Vous êtes sincère, monsieur Armand ?

François n'en revenait pas de voir le calme se traduire dans chacune des paroles de Louis.

— Je le pense oui. J'ai tout mis dans ces quelques pages.

***

Jaspin et Costal enfilèrent rapidement un gilet pare-balle, s'assurèrent que leurs armes étaient bien chargées et partirent à toute vitesse du commissariat, faisant crisser les pneus de leur voiture dans la cour du commissariat.

***

— C'est une biographie ? demanda François.

— Pas exactement. Cela parle de moi, oui, mais pas seulement.

— De qui d'autre ?

Louis sourit en baissant les yeux. Il sentait bien que François était sur ses gardes face à un jeune écrivain qu'il ne connaissait pas.

— Il y a tout là-dedans. Vous comprendrez.

— Vous savez que je ne publie jamais de jeunes auteurs n'est-ce pas ?

— Je vous demande simplement d'y jeter un coup d'œil monsieur.

Le regard de Louis se fit suppliant. Il savait que tout dépendait de François.

— Je le ferai.

Louis se détendit avant de répondre :

— Ce n'est que le début du roman. Je vous ferai suivre la suite plus tard.

— Vous voulez dire que vous m'apportez un manuscrit qui n'est pas fini ?

— Je ne peux pas encore le terminer à vrai dire. Je vais partir quelque temps, et je vous enverrai la suite par courrier.

— Partir ? Mais partir où ? François sentait que Louis pouvait échapper à Jaspin. Il espérait que Nathalie avait pu le joindre et qu'il était en route.

***

La sirène de police hurlait dans tout Paris, ignorant les feux et les lignes blanches. Jaspin était pied au plancher, et Costal se tenait à la portière.

— Nous n'avons pas de mandat, commissaire, s'inquiéta Costal.

— J'ai fait une demande au procureur, ça suffira.

Le regard de Jaspin était plus fermé que jamais. Louis Armand avait voulu se jouer de lui. Il ne le supportait pas.

***

— Je ne sais pas encore où je vais aller. Mais je vais partir prochainement.

Les regards de François en direction de la cloison de verre se faisaient de plus en plus insistants.

— Pouvez-vous me promettre une chose, monsieur Lecamp ? reprit Louis.

— Cela dépend de ce que vous me demandez.

— Quoiqu'il puisse m'arriver, publiez ce roman. Si ce n'est pas pour moi, faites-le pour Paul.

Louis s'était penché en avant. Il avait posé sa main gauche sur la clé, au-dessus de son manuscrit. François le regarda fixement. Il voyait en lui une détermination que rien ne pouvait altérer.

La porte s'ouvrit.

— Monsieur Louis Armand, vous êtes en état d'arrestation. Jaspin et Costal venaient d'entrer dans le bureau de l'éditeur. François sentit un soulagement, mais Louis n'avait pas bougé, il continuait de le fixer. Il n'avait pas porté la moindre attention à cette intrusion policière.

— Vous me le promettez, monsieur Lecamp ? répéta Louis avec un regard fou, serrant dans la paume de sa main la clé USB.

— D'accord.

François ne pouvait pas expliquer sa réponse sur le coup, mais il savait que c'était la bonne réponse. Ne serait-ce que pour ne pas effrayer un homme dangereux sur le point d'être arrêté. Mais il savait au fond de lui qu'il était terriblement attiré par ce manuscrit.

Louis se leva et recula d'un pas.

— Rendez-vous sans résistance monsieur Armand. Dites-nous où est Paul Beruer.

— Il est mort commissaire, vous ne lisez pas la presse ?

— Ce n'est pas son corps que nous avons trouvé dans la Seine. Qu'avez-vous fait de lui ?

Jaspin venait de braquer son arme contre lui, alors que Costal posa sa main sur sa ceinture. François se sentait dupé. Jaspin lui avait menti, et Paul était peut-être toujours en vie. Il porta son regard sur Louis qui fixait le manuscrit posé sur le bureau.

— Paul est là où il a mérité d'être, commissaire.

Louis recula à nouveau. Costal fit un pas vers lui.

— Monsieur, on veut que tout se passe bien, suivez-nous sans discuter.

— Vous n'avez rien contre moi, commissaire.

— Vous étiez avec Beruer le soir de sa disparition, et vous étiez jaloux de lui. On verra ce qu'en pense un jury d'assise.

Louis sourit. Il se sentait plus léger que jamais. Il était temps d'en finir.

— Vous aussi un jour vous m'admirerez commissaire.

Louis se mit à courir alors que l'arme de Jaspin balayait sa course. Il fonça vers la cloison de verre qui explosa en mille morceaux. Sonné, il prit la fuite dans le long couloir, Jaspin et Costal se mirent à courir derrière lui alors que François saisit le manuscrit. Il commença à lire. Louis courrait aussi vite que possible, enjambant les bureaux et renversant tout derrière son passage pour freiner ses poursuivants. Il avait déjà une bonne avance quand il parvient à la cage d'escalier. Louis enjambait les marches quatre à quatre.

— Tu crois toujours qu'il n'a rien à se reprocher ? cria Jaspin alors que Costal le dépassa dans les escaliers.

Louis ne se posait plus de question, il devait simplement les semer au plus vite. Costal était gêné par la lourdeur de son gilet pare-balle. Jaspin accusait déjà du retard sur son jeune collège. Sur le toit, Louis passa un parapet et arriva au bord. Face à lui, à quelques mètres, l'immeuble d'à côté. Entre les deux, le vide.

— Non ! Ne sautez pas ! Costal venait d'arriver sur le toit.

Louis regarda Costal se saisir de son arme. Le capitaine le braqua sur lui. Louis regarda devant lui et sauta. Costal l'avait dans sa ligne de mire, mais il hésita avant de sauter à son tour. Les jambes de Louis gardaient en mémoire ces longs entraînements d'adolescents sur des parois rocheuses. Il était agile sur les toits de Paris, et passait d'un étage à un autre, d'un balcon à une terrasse avec une aisance remarquable. Costal n'était pas en reste, il parvenait à la suivre n'ayant que quelques mètres de retard. Louis n'avait plus le choix que de tout tenter pour lui échapper. Il courrait sur les toits de zinc en essayant de ne pas glisser. D'une terrasse, il sauta pour atteindre un escalier de secours. À peine commençait-il à grimper que Costal s'agrippait déjà à l'escalier métallique. Sur le toit, Louis courut à nouveau, mais s'arrêta net. Pas d'échappatoire cette fois-ci. Le toit de l'immeuble d'à-côté était deux étages plus bas. Costal le braqua avec son arme :

— Rends-toi !

Louis le regarda avant de baisser les yeux.

— C'est fini ! cria Costal.

Cela ne pouvait pas se terminer ainsi. Il n'irait pas en prison. La mort était préférable. Louis se retourna et sauta dans le vide. Costal courut pour voir si cette chute lui avait était mortelle. Sur le toit de l'immeuble d'en face, Louis continuait déjà sa course. Le capitaine n'avait plus le choix. Il devait le suivre. Costal prit quelques mètres d'élan et sauta. Il atterrit sur le toit, mais sa jambe céda sous la puissance de l'impact. La douleur fut immédiate, il ne lui restait plus qu'à regarder Louis enjamber une cheminée, pour se frayer un passage sur les toits.

Jaspin le rejoignit après quelques minutes. Il était livide et transpirant :

— Ça va, Costal ?

— Je me suis cassé la jambe, je crois bien. Comment vous avez fait pour venir jusqu'ici ? Vous avez sauté du toit ?

— On s'en fout Costal, il y a plus urgent là.

Jaspin sortit son téléphone. Il ne voulait pas dire au capitaine qu'il l'avait vu se tenant la jambe sur le toit d'en face et qu'il était descendu du bâtiment pour rejoindre celui sur lequel il se trouvait. Il avait alors pris l'ascenseur pour le rejoindre sur le toit et lui porter secours. C'est là que sa claustrophobie s'était réveillée. Il avait commencé à avoir des vertiges et à suer à grosses gouttes. Costal pensa d'abord que le commissaire appelait une ambulance, mais il se trompait.

— Commandant, il nous faut un mandat d'arrêt européen à l'encontre de Louis Armand, suspect en fuite dans le cadre de l'affaire Beruer. Il vient de nous échapper, placez-le sur la liste des personnes recherchées.

Jaspin prit un temps pour respirer.

— Prévenez aussi la brigade fluviale. Le corps de Paul Beruer est sûrement dans la Seine.

***

Le soir, une seule information occupait les gros titres des journaux télévisés. La présentatrice s'avança vers la caméra, d'un pas chaloupé dans sa robe rouge près du corps :

Mesdames et messieurs, bonsoir, voici les titres de l'actualité.

Le corps retrouvé dans la Seine n'est pas celui de l'écrivain Paul Beruer, disparu il y a déjà plusieurs jours. La police est à la recherche du principal suspect qui vient de s'enfuir. Un reportage de Damien Thévenet et de Marion Chazel.

Le reportage n'était qu'une succession d'images d'archive de Paul Beruer et de la maison d'édition de François Lecamp.

À la suite *de nouveaux éléments, les forces de l'ordre soupçonnent désormais un jeune homme, Louis Armand, travaillant pour Paul Beruer. La police pense que ce dernier a pu le tuer par jalousie. Cet après-midi, la police est venue l'interpeller au siège de la maison d'édition de l'écrivain. Louis Armand s'est alors lancé dans une folle course poursuite sur les toits de Paris. Après de longues minutes, il est parvenu à s'enfuir. Les recherches pour retrouver le corps de Paul Beruer se poursuivent.*

Le reportage se terminait sur une photo du visage de Louis. Sophie était devant la télévision, dans le salon de Léa. Les traits de ce visage qu'elle connaissait tant vacillaient sous ses larmes. Elle savait que plus rien ne serait comme avant.

Chapitre 10

Le soleil était aveuglant ce matin-là, comme souvent dans cette ville. Il portait de larges lunettes de soleil qu'il venait d'acheter à l'accueil. Un moyen de rester anonyme. Il quitta son modeste hôtel vers onze heures, prit un taxi et se rendit à l'autre bout de la ville, dans les quartiers chics. Il avait rendez-vous. Il, c'est Louis Armand. Peut-être l'un des Français les plus recherchés au monde en ce moment. Mais ici, personne ne le connaît. Par la fenêtre du taxi, il observe la ville. Bruyante, elle lui rappelle Paris. Il y a de ça quelques heures, il n'était qu'un simple suspect en fuite. Louis avait sauté dans un taxi direction l'aéroport. Heureusement pour lui, il se savait recherché et avait pris son passeport et de l'argent liquide. Et une clé USB. Tout ce qu'il fallait pour refaire sa vie. Il pensa à Sophie. Non, presque tout.

Le taxi rejoignit un large boulevard à vive allure. Le chauffeur connaissait parfaitement la ville. Entre les klaxons et les clignotants inexistants, il était à l'aise. À l'aéroport de Roissy, Louis espérait que son nom n'était pas encore placé sur la liste des personnes recherchées. Il tendit son passeport. Il n'avait pas de bagage, juste une chemise blanche trempée de sueur et de suie de cheminée. Aucun problème. Il rentra dans l'avion et s'assit à sa place, soulagé. Il était temps de tout recommencer, pensa-t-il. L'avion décolla dans un bruit terrifiant qui bourdonnait aux oreilles de Louis. Au même moment, l'hôtesse au hall d'embarquement recevait d'Interpol, le portrait-robot de Louis Armand.

Le taxi fonçait désormais dans les quartiers riches de Buenos Aires. Louis était encore sonné par le décalage horaire. Le taxi ralentit devant une voiture de police. Risquait-il d'être arrêté à tout moment ? Le quartier de Recoleta est apaisant. De grandes maisons, des jardins aussi denses que fleuris, et des propriétaires fortunés qui prennent soin de leurs voitures de luxe. Le taxi s'arrêta à l'adresse indiquée par Louis. Il le paya avec le peu de liquide qui lui restait.

Le Palacio Duhau est un modèle d'architecture néoclassique d'inspiration française. Sa colonnade à l'entrée ne laisse aucun doute : ici, seul le luxe compte. Dans l'immense hall d'accueil, une rose des vents en marbre se dessine sur le sol. Les lustres se suivent sans fin, le long des larges portes vitrées donnant sur la terrasse. Louis se laisse conduire par un huissier jusqu'à l'extérieur et la pelouse démesurée faite pour accueillir les plus prestigieuses réceptions de la ville. La terrasse du restaurant se donne des airs de bistrot chic parisien. Louis prit une chaise et s'assit à côté d'un homme lui souriant à travers ses lunettes de soleil. L'homme portait un panama, une chemise noire ouverte sur son torse, un pantalon en lin et des chaussures bateaux. La blancheur de sa barbe n'avait jamais été aussi éclatante.

— Tu as trouvé facilement ? lui demanda Paul.

— J'ai dû faire plus de onze mille kilomètres et quatorze heures d'avion, mais ça va, il fait beau ici, ça fait du bien.

— Tu devrais goûter leurs vins, ils sont d'une qualité exceptionnelle ! Prends un *San Juan de la Rioja*, tu verras, ce sont des cépages malbec importés du bordelais.

Il appela un serveur. Louis se tenait le coude et l'épaule en grimaçant.

— Tu t'es fait mal ?

— Ce n'est rien, j'ai commencé une modeste carrière de cascadeur en traversant des murs de verre et en sautant sur les toits, répondit Louis en posant la clé USB sur la table.

— Tu as fini de l'écrire ?

— Non, il me manque la fin. Peut-être cent pages encore. Je me suis dit que le soleil m'aiderait à le terminer.

— Tu sais Louis, ici aussi on reçoit les informations venant de France.

— Et les nouvelles sont bonnes ? sourit Louis.

— Pour toi, pas tellement j'ai l'impression. Que faisais-tu chez François ?

— Je lui apportais la première partie de mon roman. Mais il a appelé la police.

— François ? Il a appelé la police ? Je ne le pensais pas capable d'un tel courage. Je lui ai écrit une belle lettre pour te recommander pourtant. Bon pas sur du papier bible, je n'en avais plus avec moi et j'ai un mal fou à en trouver ici, mais quand même, je pensais qu'il me faisait plus confiance que cela.

— À croire que ça n'a pas suffi. Il faut dire qu'après avoir trouvé ton corps j'étais le suspect idéal pour ton meurtre.

— J'étais fort peiné de découvrir que j'étais mort, pouffa Paul, personne ne m'avait tenu au courant. Mais pourquoi as-tu été suspecté de m'avoir si lâchement assassiné ?

— Sophie est tombée sur mon roman.

Un silence s'installa entre les deux complices.

— Je dois le terminer au plus vite, reprit enfin Louis.

— Tu verras, on est bien ici.

Louis s'installa au Palacio Duhau, dans une chambre voisine de celle de Paul. Tout n'était que luxe et élégance dans cet hôtel qui n'avait rien à envier aux plus grands palaces parisiens. Seulement des matériaux nobles, de vastes suites baignées de lumière, des lits aux tailles extravagantes et d'imposants bureaux dans chaque chambre. Louis ne pouvait pas rêver mieux comme cadre. Le temps était doux, reposant. Ils vivaient au rythme du soleil. Paul sortait parfois sur le front de mer ou pour flâner sur les marchés. Le reste du temps, il se prélassait sur les chaises longues au bord de la piscine. Il lisait, le plus souvent des livres en langue espagnole. La poésie de Pablo Neruda l'apaisait. À l'aube, il n'y avait personne à la piscine souterraine de l'hôtel. Paul en profitait pour faire quelques longueurs. Il connaissait par cœur la carte du bar et celle du restaurant aussi. Il prenait toujours la même chose. Accoudé au bar, Paul sirote des *Loco Albahaca*, un cocktail à base de basilic. Au restaurant, pour le déjeuner, il appréciait des *asados,* des grillades locales de viande rouge. Un vin de Mendoza ou un *San Juan de la Rioja* pour faire descendre le tout.

Louis ne sortait pas de l'hôtel. Il écrivait. Dans sa chambre, la nuit, et sur la terrasse, le jour. Il se sentait bien. Il vivait avec son roman, et il avait hâte de le finir. Cela avançait bien. Bientôt, il pourrait y mettre le point final. Le calme de l'hôtel apaisait ses angoisses et le soleil lui donnait de l'espoir quant au futur. Louis pensait beaucoup à Sophie. Trop peut-être, il devrait tourner la page, songe-t-il parfois. Elle était tous les jours dans ses pensées. Il revoyait ces derniers jours en France défiler devant ses yeux comme un mauvais film. Le commissariat, Jaspin, sa fuite. Et sa terrible séparation avec Sophie. Sans pouvoir tout lui dire.

Paul ne regardait pas les actualités, cela ne l'intéressait plus. Il fut très surpris que sa disparition fasse autant de bruit. Louis lisait quotidiennement les unes des journaux français. Parfois, il y espérait y trouver des nouvelles de Sophie. Il était de plus en plus rare qu'un article parle de lui. Il aurait été vu en Suisse, vers Lausanne. Puis à Biarritz, dans le hall de l'Hôtel du Palais. Un reportage de France Info relatait sa fuite spectaculaire, d'abord à travers la paroi de verre, puis sur les toits. On y apprenait que le commissaire Jaspin avait reçu un blâme pour n'avoir pas respecté les procédures lors de cette arrestation. Cette tentative d'arrestation. Le capitaine Costal s'était fait opérer pour sa jambe fracturée. Après le plâtre, il aura visiblement besoin de longues semaines de rééducation. Aucun autre corps n'a été trouvé dans la Seine par la brigade fluviale. Leurs tournées d'inspection ont cependant révélé un nombre incroyable de vélib' jetés dans le fleuve. Une polémique qui embarrassait la Ville de Paris. La presse oubliait peu à peu le nom de Paul Beruer. Un article du journal *Le Monde* relatait dans sa rubrique juridique, *l'étonnante lettre de Paul Beruer à Louis Armand,* où l'écrivain lui annonçait son départ pour l'Argentine. Depuis, des rumeurs grandissaient sur son passage dans une ferme près de Mendoza. Il serait désormais parti se cacher dans la pampa argentine.

Paul Beruer n'avait jamais été aussi heureux. Il avait été diplomate. Mais sa vie lui était terne. Il avait été un écrivain reconnu. Mais la popularité n'était pas faite pour lui. Il était désormais un mystère. Il trouvait que c'était une bonne situation. Ses livres ne s'étaient jamais aussi bien vendus depuis sa disparition. Les libraires n'arrivaient plus à suivre la demande. Certains pensaient même que ses romans étaient truffés d'indices permettant de découvrir la vérité sur sa disparition. Louis savait bien que c'était faux. Cela l'amusait beaucoup de voir ce vieil homme s'offrir une telle retraite. Il relisait son roman. Pas de grands changements à faire. Tout était déjà clair dans sa tête avant de poser l'intrigue noir sur blanc. Un soir, Paul vint le voir dans sa chambre pour lui proposer de descendre boire un verre au bar de l'hôtel. Louis était assis devant son ordinateur.

— Tu veux jeter un coup d'œil ? demanda Louis.

Paul retrouva son sourire malicieux et prit la place de Louis devant l'ordinateur. Il fit défiler le document, et commença à lire la fin du chapitre trois.

***

Il était désormais évident que tout ceci allait mal finir. Ni lui ni moi ne pouvions laisser l'autre s'en sortir ainsi. Il ne pouvait y avoir qu'un seul de nous deux sortant vainqueur de cet échange. L'autre serait balayé. C'est alors que Paul scella son destin et le mien avec :

— Sans moi tu n'es rien, lâcha Paul.

Sans réfléchir, je saisis le couteau à viande derrière moi, et je me jetai sur Paul. Ses mains sur mes épaules essayaient de me repousser. Il lâcha prise et la lame du couteau était déjà pleine de sang.

Le regard de Paul se figea, la bouche grande ouverte, ses doigts s'agrippaient à la manche de ma chemise. Puis il chuta au sol. Je restai avec le couteau ensanglanté dans la main. Je réalisais alors seulement que je venais de le poignarder. Je lâchais le couteau, incapable de mettre en ordre mes pensées. Une mare de sang se formait déjà autour de Paul, sur le carrelage de la cuisine. En le regardant, je vis ma chemise pleine de son sang. Je me penchais vers lui, son souffle était court. Il essayait de parler. Mais aucun son ne sortait de sa bouche. En quelques secondes, ses vaines tentatives s'amoindrissaient, jusqu'à ce que seul le silence reste.

Je restais là, sans bouger et sans bruit. Son corps dans mes bras pendant que la culpabilité envahissait tout mon être. Paul était mort en quelques dizaines de secondes. Il ne m'en fallut qu'une seule pour devenir son meurtrier. Tout était allé si vite. Trop vite. Comment une dispute pouvait se terminer de manière aussi tragique ? Je ne parvenais plus à y voir clair, mes pensées se mêlaient à mes angoisses et plus rien n'avait de sens. Cela ne pouvait pas être vrai. Je ne parvenais pas à y croire. Le sang de Paul continuait de glisser lentement sur le carrelage froid. Je me relevai, mes jambes tremblaient. Que devais-je faire ? Appeler la police ? Plaider l'accident ? Le coup de folie ?

Je ne méritai pas tout ça. Paul m'avait pris ma liberté pendant de trop longues années, je ne le laisserai plus me voler. Mais maintenant, la police allait s'en mêler. J'allais être recherché comme l'horrible meurtrier du fameux Paul Beruer. Quelles options se présentaient à moi ? Me livrer aux forces de l'ordre, subir un procès médiatisé et finir mes jours en prison ? Une bouffée d'angoisse s'emparait de moi en imaginant cela. Il ne me restait plus qu'à disparaître à mon tour pour ne plus vivre cela. Il est encore difficile aujourd'hui d'y penser à nouveau, mais à ce moment précis, j'ai pensé au suicide. Mais je ne pouvais me résoudre à en finir de cette manière. Laisser mon nom accolé au sien, pour toujours ? Il était hors de question qu'après ma mort, la presse se délecte de ce fait divers morbide. Je restais là, accoudé au plan de travail, son sang partout sur moi, à essayer de faire le vide dans ma tête.

Puis tout me sembla clair. Simple. Évident. Il était mort. Je devais continuer à avancer. Je n'étais pas condamné. J'étais libre. J'avais le droit de vivre, sans contraintes. Mais je devais agir vite et avec précision. Après tout, cela faisait des années que j'écrivais sur des crimes, des enquêtes, et des coupables qui échappaient à leur destin.

Il était peut-être temps du faire du Beruer. Pour de vrai. Penser à cela me donna un regain d'espoir et une volonté que je sentais déjà sans limite.

C'est alors que je m'aperçus que son plat était toujours sur le feu. Trop tard, je vidai simplement le plat en sauce dans la poubelle. Je retirai l'ensemble de mes vêtements. En caleçon, je ne me sentais pas fier sur le moment. Il me fallait ensuite nettoyer la cuisine. Une chance pour moi, que Paul cultive avec soin une manie pour l'hygiène et le nettoyage. Je passais partout ; sol, tiroirs, plans de travail il ne devait rester aucune trace de cette horrible nuit. La cuisine était désormais propre. Je pris des sacs poubelles dans l'un des tiroirs de la cuisine et j'y mis mes vêtements. Il me fallait désormais y mettre son corps. Je pris ses jambes et les glissa dans le sac. Il était lourd et la tâche n'était pas aisée ; je pris un deuxième sac plastique et j'y glissai le haut de son corps. Le plus difficile fut de passer ses épaules. Après plusieurs minutes, je réussis enfin. Son corps était recroquevillé en position fœtale. Je mis éponges, serviettes et autres matériels de nettoyage dans ce même sac, et joignis le tout vulgairement, avec de larges bandes de ruban adhésif. Puis j'empruntai une chemise, un pantalon et des chaussures dans la penderie de Paul. Je pris le couteau et le glissa dans ma ceinture.

Il était temps de quitter cet appartement. Je traînais son corps sur le palier en espérant que le voisin ne sorte pas à ce moment-là. Il n'y avait de la place dans cet ascenseur que pour deux personnes. J'étais coincé contre son cadavre. Rez-de-chaussée. Vide. La peur faisait battre mon cœur comme jamais auparavant. Mais il n'était plus temps de l'écouter. Il s'agissait d'être lucide et courageux. Je ne pouvais plus traîner son corps. Il me fallait le cacher. Je laissai le cadavre dans le hall et sortis. L'air était frais. Une poubelle. J'allais mettre son corps dedans. Je vidais son contenu sur le trottoir. Je la ramena dans l'immeuble, et la coucha au sol. Je fis glisser péniblement le sac dedans en prenant garde de ne pas l'abîmer. Il me semblait plus lourd qu'auparavant. À mesure que je poussais son corps, la poubelle glissait du fait de ses roulettes. La scène devait être pathétique.

Heureusement, je n'avais aucun public. Je parvins à mettre son cadavre en entier au bout de plusieurs minutes. Je relevai la lourde poubelle et je sortis dans la rue. J'essayais de garder un pas régulier et vif. Il ne fallait pas attirer l'attention. Je savais très bien où j'allais. J'y pensais déjà en enroulant le sac de ruban adhésif. Les rues étaient vides à cette heure tardive. Quelques voitures seulement. Et moi, seul sur ce large trottoir, à promener ma poubelle. J'arrivais sur les quais. Je pris la pente douce en retenant la poubelle pour éviter qu'elle ne dégringolât. Je me retrouvais seul face à la Seine. Je couchais à nouveau la poubelle, mais cette fois-ci pour en sortir le corps. Je le disposais le long du quai. L'obscurité masquait ma peur. Le doute m'envahit. Je pris trois grandes inspirations et le poussa du pied. Un bruit sourd accompagna la chute de son corps. Il flotta à la surface quelques instants, avant de disparaître dans la Seine. Voilà, c'était fait. Je me sentais plus léger. Je m'assis sur le quai. Je faisais le vide dans ma tête. Tout était fini. Paul Beruer venait de disparaître de ma vie. Je sentais comme une gêne dans le bas de mon dos. C'était le couteau. Je le jetai dans la Seine. La nuit était apaisante et calmait mes angoisses.

***

Voilà comment j'aurais tué Paul. Mais je ne l'ai pas tué. Paul Beruer va très bien, il passe de délicieuses journées à Buenos Aires, à me regarder finir ce roman. Revenons un peu en arrière, et voyons ce qui s'est réellement passé cette nuit-là. Je me suis bien rendu chez lui. Nous nous sommes effectivement disputés. Mais au lieu de nous baigner dans une mare de sang, nous nous sommes baignés dans une mare de mots :

— Je te sers un verre de vin ? me demanda-t-il, je viens d'ouvrir un vin de Cahors, je sais que tu l'aimes bien.

— Volontiers, répondis-je.

Après quelques banalités, sur la météo, l'actualité et sur le bon plat en train de cuire, le ton monta.

— *Je ne fais que suivre la recette de ma grand-mère tu sais, le secret c'est de bien faire mi...*

— *Tu ne fais que ça suivre une recette, coupais-je, lassé de sa bavardise.*

— *Comment ça ? s'étonna-t-il.*

— *Avec moi tu as trouvé la recette du succès.*

Je décidai de mettre les pieds dans le plat. J'étais désormais pressé d'en venir au but.

— *Attends, tu ne veux pas qu'on discute de tout cela à table ?*

— *Non Paul, tu n'as plus autorité sur moi, c'est fini.*

— *Autorité ? Pardon ? Je ne suis pas ton chef ou je ne sais quoi ! Nous travaillons tous les deux d'égal à égal !*

— *Foutaises, arrête.*

Je sentais bien qu'il pensait sincèrement ce qu'il me disait là. C'était peut-être le plus énervant dans son comportement. Il ne voyait pas en quoi notre « collaboration » était humiliante pour moi.

— *Tu gagnes autant que moi je te ferais dire.*

— *Et c'est ton nom sur la couverture, Paul.*

— *C'est donc ça le problème.*

— *Bien sûr que c'est ça le problème, explosais-je.*

À mesure que le ton montait, je m'étais approché de lui. Nous étions désormais tons les deux face à face dans la cuisine. Je pouvais désormais sentir son agacement. Mais pouvait-il seulement comprendre le mien ?

— *Et alors quoi ? Tu penses exister sans moi ? Je te rappelle qu'avant de me connaître tu n'étais rien.*

— *Et toi un écrivain ringard.*

Paul ne cherchait qu'à me provoquer. Il était hors de question que je me laisse faire.

— *J'étais un écrivain moi au moins.*

Je sentais monter en moi une rage indescriptible qui irradiait dans mon torse. Quelle condescende puérile de sa part. Il n'avait aucune forme de respect pour moi, ce dîner n'avait pas commencé que je

voulais déjà partir. Un silence pesant s'installa. La tension était plus
que palpable.

    Puis, Paul reprit :

    — D'accord.

    — D'accord, quoi ? demandais-je perplexe.

    — Que veux-tu ? Ton nom sur la couverture ? Soit. Nous allons te
faire publier.

    Que voulait-il dire par là ? À quoi jouait-il ? Je sentais qu'il
essayait à nouveau de se moquer de moi. Puis il me tourna le dos,
quitta la cuisine et se laissa tomber dans un des canapés du salon.
Étonné, je le suivis et m'installai en face de lui.

    — Je suis fatigué Louis. Fatigué de tout ça. À moi aussi, notre
écriture me pèse. J'ai beaucoup aimé écrire, crois-moi, mais je ne
peux plus. Cela m'est trop difficile. Il y a déjà plusieurs mois que j'y
pense. Je vais arrêter Louis. Au début, tu sais, j'écrivais pour moi et
c'était mon plus grand bonheur. J'échappais à mon travail et à une
vie qui ne m'apportait aucune joie. Je ne pensais pas que cela allait
m'occuper à temps plein. Puis le succès est arrivé. Je me suis mis à
écrire pour mon public, pour ses attentes, et cela tu le sais, ce n'est
jamais vraiment sain. Les journalistes en voulaient toujours plus. Je
n'en pouvais plus de cette pression. Je n'avais plus d'idées, plus
d'envies. Alors je pensais tout arrêter. C'est à ce moment que tu es
entré dans ma vie. Tu étais jeune, prometteur, plein d'idées. Tu m'as
offert un second souffle. Il y a eu L'admirateur et son succès. Et tous
les suivants. Mais quel plaisir avons-nous tous deux désormais ?
Regarde où cela nous mène ? On s'insulte comme des enfants. Tu veux
ta part de gloire et c'est bien normal. Tu le mérites sûrement plus que
quiconque. J'adore travailler avec toi Louis, mais il faut se rendre à
l'évidence, on ne peut plus continuer ainsi. Je vais prendre ma
retraite.

    — Ta retraite ?

    — Oui ma retraite. J'ai suffisamment d'argent de côté pour me
prélasser sous le soleil le reste de mon existence. Je rêve de

disparaître et d'échapper pour de bon à tout cela. La presse, la notoriété. L'obligation d'écrire le prochain best-seller.

— Je veux écrire cette histoire Paul.

— Cette histoire ? Que veux-tu dire par là ? me demanda-t-il.

— Oui, ce serait un bon sujet, je veux raconter ton histoire. Notre histoire. « La disparition de Paul Beruer ».

Et c'est ce que j'ai fait dans ce roman. Je vous ai tout dit. Tout. Comment Beruer est né, comment ce nom est devenu une supercherie littéraire et comment il est mort.

— Ma foi, c'est un bon moyen d'en finir avec tout cela. Comment comptes-tu t'y prendre, dis-moi ?

Paul semblait déjà tout excité d'imaginer ce roman. Le roman de sa vie.

— Déjà, tu le sais aussi bien que moi, avant de savoir comment on commence, il faut avoir une idée de là où on va, de la fin.

— Ma mort donc.

— Je ne vais pas te tuer, Paul.

— Pourquoi pas ? Il faut bien que le héros meure à la fin. Tu t'y prendrais comment ?

Il venait de croiser ses jambes et prenait son air malicieux. Il reprit :

— Tu sais ce serait une douce ironie que le grand Paul Beruer, le maître du roman policier, meurt dans le premier roman de son complice.

— Je dirais juste que tu as disparu.

— C'est fade comme fin, et tu le sais.

— Ou bien je peux te tuer pour de faux.

— Comment ça, Louis ?

— Je n'ai qu'à raconter comment on a travaillé ensemble, et de quelle manière, après une dispute, j'en viens à te tuer, disons par accident. Et enfin, tout dévoiler dans le dernier chapitre. Que je ne t'ai pas tué, mais que tu es parti.

Je réfléchissais en même temps que je parlais. Paul se pencha vers moi en croisant les mains :

— Je veux que tu me poignardes, affirma-t-il

Commença alors notre traditionnel échange d'idées. Cela faisait bien longtemps que je n'avais pas entrepris cela avec autant de plaisir :

— Avec le couteau dans la cuisine, complétais-je.

— Très bien ça Louis ! Que fais-tu de mon corps ?

— Le corps ? Tu veux le déplacer, toi ?

— Tu comptes laisser mon corps là, au milieu de la cuisine ?

Il avait raison, je devais m'en débarrasser. Pour le transporter, je devais peut-être le découper, ou l'emballer dans une bâche ou autre. Il faudrait le laisser dans un endroit où personne ne puisse le trouver. J'étais perdu dans mes pensées quand il se leva en criant :

— L'osso bucco ! Je l'ai oublié sur le feu !

Paul courra jusqu'à la cuisine et regarde avec désespoir son plat en sauce, trop cuit par endroit. Je n'en avais que faire, trop concentré par cette histoire à écrire.

— Je peux jeter ton corps à la Seine, qu'en penses-tu ?

Paul était courbé sur son plat, il se raidit soudainement :

— Très bien ça ! Mon corps ne serait pas retrouvé avant longtemps et sûrement dans un état tel, qu'il rendrait l'identification impossible. Ta première partie devra impérativement parler de toi, de moi, de notre rencontre et de notre écriture à quatre mains. Le plat est fichu maintenant !

— Ce n'est pas grave je n'ai pas faim, répondis-je, l'esprit occupé par tout un tas d'idées.

Paul prit le fait-tout et l'amena au-dessus de la poubelle de la cuisine. La viande tomba bien dans la poubelle, mais la sauce coula sur le sol de la cuisine. Paul lança une flopée de jurons. Il entreprit de tout nettoyer alors que je continuai à lui soumettre mes idées :

— Donc tu disparais, et moi je sors un livre racontant comment j'aurai pu te tuer, mais révélant qu'en réalité tu as pris ta retraite, c'est bien cela ?

— Cela me semble un bon résumé, non ? Personnellement, j'aime bien cette idée.

— *Tu te rends compte que ton départ va susciter beaucoup d'attention.*

— *Qui s'intéresse à un vieil ermite comme moi ? Il y aura peut-être deux ou trois indiscrets pour s'interroger, mais rien de plus, ne te tracasse pas pour ça.*

— *Et si personne ne croit que nous étions un duo ? Et si personne ne croit à ton départ ?*

Paul était en train de nettoyer le sol avec vigueur. Il releva son buste, seule sa tête dépassait du plan de travail. Il se gratta la barbe avant de répondre :

— *Je n'ai qu'à t'écrire une lettre. Je la ferais partir d'Argentine pour que l'on comprenne bien que j'y suis.*

— *Et que vas-tu dire de beau dans cette lettre ?*

— *La vérité. Que j'ai pris du temps pour moi, loin de Paris. Tu n'auras qu'à montrer cette lettre si on te pose trop de questions sur moi. Mais essaye autant que possible de rester discret sur mon départ. J'aimerai bien un peu de calme.*

À dire vrai, j'étais très excité par cette idée. J'avais désormais un sujet de roman et l'opportunité de le publier. Avec un peu de chance, la vraie disparition de l'écrivain à succès donnerait un peu d'écho à mon roman. Paul y voyait le moyen de quitter toute cette pression, de changer de vie, à nouveau. Je pense aussi d'une certaine manière que cette idée comblait son ego. Pourquoi prendre la plume quand d'autres écrivent pour vous raconter ? Peu importe que le monde apprenne qu'il avait eu une aide, il savait très bien que cela allait nourrir le mystère autour du personnage discret qu'il s'était créé au fil du temps.

Paul s'engouffra dans sa chambre sans même prêter attention à la présence de Louis, toujours planté au milieu du salon.

— *Que fais-tu ?*

— *Mes valises, répondit Paul.*

— *Tes valises ? tu pars maintenant ?*

— *Pourquoi attendre ? Rien ne me retient ici !*

Paul sortit de la chambre les bras chargés de pantalons, avant de reprendre :

— Et puis, je te rappelle que je suis censé mourir ce soir !

Un rapide aller-retour lui permit de prendre ses affaires de toilettes dans la salle de bain.

— Mais ton départ est si précipité ! lui criais-je en le retrouvant dans sa chambre. Une grande valise sur le lit était ouverte, et avalait les piles de vêtements que Paul lui balançait.

— Je t'ai dit, je prends ma retraite Louis. Tu veux écrire sur ma disparition, cela me va très bien, c'est une idée formidable.

Il contourna Paul dans l'encadrement de la porte et attrapa quelques feuilles de brouillons de papier bible sur son bureau. Un réflexe d'écrivain. Il fourra le tout dans sa valise et attrapa une caisse en métal sous son lit sous le regard de Louis. La caisse contenait de nombreuses liasses de billets.

— C'est quoi ça, Paul ? demandais-je stupéfait.

— Mon billet de départ. Pour que ma disparition soit crédible, je ne peux pas utiliser ma carte bancaire. Je serai trop facilement tracé. Heureusement pour notre petit stratagème, je n'ai jamais trop eu confiance dans le système bancaire.

Paul empila de nombreuses liasses sur ses vêtements. Il était désormais dans le hall d'entrée, les valises à la main.

— Tu sais où tu veux aller ?

— Je le sais déjà depuis bien longtemps.

Son sourire venait souligner ses yeux brillants.

— Je vais à Buenos Aires. J'y ai commencé ma carrière en ambassade. J'étais alors un tout jeune rédacteur qui écrivait des notes jamais lues par personne. Mais cela ne me gênait pas, la vie était si douce là-bas. Il y fait tout le temps beau, on y mange bien, et les femmes y sont magnifiques. Je m'étais promis d'y passer ma retraite alors que je n'avais pas encore vingt-cinq ans. Je compte m'installer au Palacio Duhau, un très bel établissement où nous faisions à l'époque nos plus belles réceptions diplomatiques. Tu n'auras qu'à venir m'y retrouver si tu passes à Buenos Aires, un jour prochain.

— *J'y penserai, Paul.*

Je sentais mon cœur se serrer. Une part de moi avait du mal à croire que l'on se quittait ainsi, aussi brusquement. Il paraît que l'on sait que l'on tient à quelqu'un seulement quand on le perd.

— *Bon, une fois là-bas, je t'écris une lettre et j'écris aussi à François Lecamp pour te recommander.*

— *Merci Paul, merci pour tout.*

— *Merci à toi, mon jeune ami. Toi qui seras bientôt admiré par tous !*

Il me lança un clin d'œil et un dernier sourire plein de tendresse, avant de sortir sur le palier. Sa valise fit du bruit sur le vieux parquet. Ce n'est que récemment, l'ayant rejoint à Buenos Aires, que j'appris comment il avait pu prendre l'avion pour l'Argentine sans billet à son nom. Il me raconta son passage lors de l'embarquement ce soir-là. Une anecdote qui le fait toujours rire. L'hôtesse d'accueil était une fidèle lectrice de ses romans. Il lui suffit de lui faire un peu de charme, de lui dire qu'il se rendait en Argentine pour les besoins de son prochain livre et qu'il ne voulait pas que cela s'ébruite. Il compta sur elle pour garder le silence là-dessus, et lui demanda gentiment de réserver son billet sous un nom d'emprunt : Jérôme Hebert. Il avait enfin réussi à utiliser son fichu nom. C'est ainsi que Paul Beruer quitta son appartement, son pays et sa vie. J'avais désormais un roman à écrire. Celui que vous avez en ce moment même entre les mains.

***

— Comment on a pu oublier de sortir la poubelle ? s'étonna Paul.

Il fit défiler à nouveau le document pendant quelques minutes avant de donner son jugement :

— C'est plutôt réaliste. Le style est pas mal, et j'aime bien le titre. Tu devrais penser à te faire publier.

La fenêtre était ouverte. Et leurs rires s'envolèrent ensemble.

Épilogue

Ce fut une dure journée pour Sophie. Les enfants ont été insupportables aujourd'hui. Elle était contente d'enfin rentrer chez elle. Dans la boîte aux lettres, une enveloppe kraft. Ses mains tremblèrent quand elle lut la marque du tampon indiquant sa provenance : *ARGENTINA*.

Sophie s'installa sur son canapé. Elle hésita longtemps à ouvrir cette enveloppe posée sur ses genoux. Était-ce des nouvelles de Louis ? De Paul Beruer ? Elle ouvrit enfin. C'était une vingtaine de pages. Des extraits d'un livre visiblement. Elle commença à lire. Le récit d'un meurtre, elle connaissait cet extrait. Et la suite. Louis et Paul, leurs échanges et leur accord lors de cette soirée qui a tout changé. Le départ de Paul. Louis qui raconte ses entrevues avec Jaspin. La fausse lettre. Qui était vraie. Les timbres du voisin. Qu'il n'a pas pris. Sa fuite. Son arrivée à Buenos Aires. Un dernier extrait. Celui où il dit toute son envie de revoir celle qu'il aime et qui, il l'espère, saura lui pardonner. Sophie est en larmes. Au fond de l'enveloppe, encore un morceau de papier. Un billet d'avion. Un aller simple pour Buenos Aires.

Au même moment, François Lecamp aussi reçoit du courrier. Depuis quelques semaines, des artisans sont venus remplacer la cloison de verre. Au milieu des dizaines de manuscrits reçus ce jour, il remarqua ce colis. Venu d'Argentine. Il comprend. En l'ouvrant, il y trouve ce qu'il attendait. Sur la première page, un titre, comme un air de déjà-vu. *L'admiré*. Il feuilleta le manuscrit de plusieurs centaines de pages. Jaspin, Sophie, un meurtre, une mascarade et une fuite. Tout est là. Dans le colis, il restait une lettre. Quelques mots sur du papier bible. Deux paragraphes. Deux écritures, étrangement semblables :

Monsieur Lecamp,

J'ai tenu ma promesse, à vous de tenir la vôtre. J'ai mis toute ma sincérité dans ces quelques pages. J'espère que vous le verrez.

Bonne lecture

PS : Pardon pour votre cloison de verre.

Louis Armand

Mon cher ami,

Ne nous en veux pas trop. Je sais que l'histoire te plaira. Je n'ai pas réussi à être Roman Kacew, je ne suis que Paul Beruer, et cela était déjà bien trop pesant. Tu pourras te réconforter dans les mots de Louis Armand.

Avec toute mon amitié,

Paul Beruer

Imprimé en Allemagne
Achevé d'imprimer en décembre 2022
Dépôt légal : décembre 2022

Pour

Le Lys Bleu Éditions
40, rue du Louvre
75001 Paris